CH00865399

Für Gott ist alles gleich-schön

Para diós todo es lo mis-mo lindo

Pour dieux tout est le même beau

For God everything is the same beautiful

von

por

par

_by_

Leslie Römermann

Von Intelligibelität zur Schwarmintelligenz

(Visionsskizzen, kurz und dreckig, wie das Leben)

From Intelligibelity to Swarmintelligence

(Sketches of a Vision, short and dirty, like life itself)

Intelligibelität

Worttrennung:

In·tel·li·gi·bi·li·tät, *kein Plural*

Aussprache:

IPA: [ˌɪntɛligibiliˈtɛːt]

Hörbeispiele: —

Bedeutungen:

[1] *Philosophie:* Fähigkeit, Zusammenhänge ohne sinnliche Wahrnehmung und nur durch den Intellekt zu erfassen

Herkunft:

zusammengesetzt aus dem Adjektiv *intelligibel* und dem Suffix *-ität*

Beispiele:

[1] „Die *Intelligibilität* des Seins ist ein zentrales Problem in der Philosophie des Parmenides, [...]"[1]

intelligibel

Zur Navigation springen
Zur Suche springen

intelligibel (Deutsch)[Bearbeiten]

Adjektiv[Bearbeiten]

Positiv	Komparativ	Superlativ
intelligibel	—	—

Alle weiteren Formen: Flexion:intelligibel

Worttrennung:

in·tel·li·gi·bel, *keine Steigerung*

Aussprache:
IPA: [ɪntɛliˈgiːbl̩]
Hörbeispiele: intelligibel (Info)
Reime: -iːbl̩

Bedeutungen:
[1] *Philosophie:* nur durch den Intellekt erkennbar, nicht sinnlich wahrnehmbar

Herkunft:
Lehnwort aus spätlateinisch *intelligibilis, intellegibilis* „einsichtig, verständig", das vom lateinischen Verb intellegere >la „erkennen, verstehen" abgeleitet wurde.[1]

Gegenwörter:
[1] sinnlich wahrnehmbar

Beispiele:
[1] „Hiewider könnt ihr aber eine transzendentale Hypothese aufbieten: daß alles Leben eigentlich nur *intelligibel* sei, den Zeitveränderungen gar nicht unterworfen, und weder durch Geburt ange-

fangen habe, noch durch den Tod geendigt werde."[2]

[1] „Sie belebt Menschen und Dinge und Gegebenheiten als *intelligibel.* Sie beschreibt anschaulich und innig eine Welt kraft ihres Denkens und macht damit das Denken zu dem Medium, das Anschaulichkeit und Lebendigkeit erzeugt."[3]

A.L.L.L.I.E.B.E.S.H.E.I.L.U.N.G

unmittelbar wie einen Urknall, nicht bloss wie einen Quasar, oder eine Sternenexplosion und schon gar nicht allmählich wie eine Planetenentstehung zur Befreiung aller Wesen, die da sind, da waren, da Wesen seiend werden werden und die da allesamt einmal gewesen sein werden, am Ende von Zeit und Raum - diese

Allliebesheilung

mit Leben zu füllen und in die Welt zu bringen, um meinen Beitrag zur Zivilisationsentwicklung bei zu tragen ist/sehe *ich als - meine vielleicht vernehmlichste Lebensaufgabe.*

Nicht als Selbstzweck, nicht nur für meine Zeit und meinen Raum, oder kommende Zeiträume, oder für den Umgang mit dem Vergangenen - das alles sicher auch, aber vor allem dafür, dass ich zufriedenen sein, atmen und noch davor zufriedenen von der Welt ausatmend gehen kann, irgendwann, um allem voran nicht wiedergeboten werden zu müssen.
Ich fürchte nämlich allen und besonders diesen Zwang, wenn ich meine Aufgabe in diesem Leben verfehlen sollte. Punktum.

Wie ich dies bewerkstelligen könnte, ist mir noch ein Rätsel, aber ich will es hiermit wagen, einen überschwangeren Gedankenschwall in die Welt, ins All zu entlassen, in einer Art Gebets- und Mahnform, aber auch in (un)form einer alle zur Integration einladenden, ersten, skizzenhaften Vision.

Lieber zu Beginn damit scheiternd, als die Gefahr ein zu gehen, diesen ersten Schritt in die richtige Richtung unterlassen und letzten Endes wohl oder unwohl sogar verpasst haben zu können.

*Lieber ungeduscht, geduzt und ausge-
buht in diesem Leben, als in einem weiteren an gleicher Stelle stehen zu müssen.
Da wäre ich nun, Leslie, der erste?
der sich eher aus Not als aus Überzeugung
als einen Gott auf Erden definieren muss,
um sicher zu stellen und möglichst allen
ein für alle Mal klar zu machen, dass es
für jeden, der es sich leisten kann an der
Zeit ist, sich als solchen/solche zu
definieren, samt aller möglichen daraus
erwachsenden Nötigkeiten (das sind zum
Beispiel Rechte, wie das kommende Bürgergeld in höherer Höhe als HartzIV, der
Funktionalität wegen), Möglichkeiten (das
wären die Pflichten, jawohl, nicht mit-
nichten, sondern auch mit Nichten) und
Unmöglichkeiten (das sind dann die Wun-
der, die zu erwarten und zu vollbringen
sind, von euch, Gefleuch), zur Befreiung
aller Wesen.*

In einem weiteren Schreiben, werde ich auf Verlangen mehr von mir, meinem Werden und Sein preis geben.

Von meinem Beginn als klumbianischer Fötus getragen unterm gigantischen Herzen der mittellosen Mulattin Helena Tres Palazios de Restrepo, als Sohn und Enkel deutscher Täter Rüdiger und Fred

Scheufen aus Stolberg in der Eifel, über meine Stationen als eines der „grössten" deutschen Tanztalente im klassischen Tanz in München, Berlin und Zürich, wie auch meine weiteren Lebensmittelpunkte Köln, Cartagena de las Indias, Travemünde und wieder Berlin.

Niemals als Nestbeschmutzer, aber aus Überzeugung als Nestsäuberer dann.

Über dies und meine derzeitige Existenz will ich dann bei Zeiten der (un)-geneigten Leserschaft Rechenschaft ablegen, so fern die höheren wie niederen Intelligenzien mir dies dann noch erlauben sollten.

Doch nun zu Grundlegenderem

Gedanken, die innerhalb eines Jahres nach Jahren der Meditation und Abgeschiedenheit auf Facebook sei dank, entstehen durften, was zum Teil eine Freude, zum Teil anderes war und ich manchmal eben so gefühlsmässig kommentiert und zur Gewöhnung und Übung mit Gott Leslie unterschrieben stehen lassen werde.

Auch mit Streckenweise ermüdenden Wiederholungen und Zitaten alter Texte zum leichteren Verstehen und damit umgehen, was ich bin, um mit und durch euch, werte Leserschaft zu sein, zu ihrer Befreiung. Möge es mir und uns gemeinsam ein wenig mehr gelingen, als ohne dies.

Def. ALLLIEBESHEILUNG: (ALL,
für jedes WESEN im Cosmos/in allen
Cosmen und ausserhalb, das jäh gewesen,
ist, sein wird und gewesen sein wird /
LIEBES, für das LIEBE in jedwedem
dieser WESEN, das die LIEBE selbst er-
möglicht/e und ermöglichen wird und er-
möglicht haben wird / HEILUNG, als die
ERLÖSUNG jedweder BÜRDE,
SCHWERE, MATERIELLER,
GEISTIGER oder SPIRITUELLER
UNGESUNDHEIT), ATEM

Def. ALLLOVEHEALING: (ALL, for
each BEING in COSMOS and bejond,
that has ever been, is being, will be being
and will have been been / LOVE, for
LOVE / HEALING, for DELIVERANCE
from BURDEN, HEAVYNESS, MATER-
IAL, CELEBRAL or SPIRITUAL UN-
HEALTHYNESS), BREATH

Nazibruderherzchen, überlege 14 mal:

Wenn du ein Jude wärst, egal in welcher Zeit und welchem Raum - und wenn du einer verschworenen Gemeinschaft angehören würdest, würdest du nicht ein Verschworener sein - wollen ?????

be rich, by feeling fear-free and hate-free and like it - just that.

Ein Gott ist für mich ein Wesen, das seinen Beitrag in seiner Zeit und seinem Raum nach bestem Wissen, Gewissen und bester Möglichkeit leistet.

A God is in my opinion a Being, that is capable, willing and in fact doing the best it can to save the World in his time and space following his/her best knowledge, conscious and kapability.

Un dios/una diosa para mi es un SER, que es capable, voluntario/a y aciendo lo mas possible para salvar el mundo en su tiempo y espacio siguiendo su saviduria, consciencia a capacidad.

Un dieux, c`est pour moi un ÈTRE, qui sache faire le mieux pour sauver le monde de son temps et son espáce utilisant son savoir, sa conscience et kapacité.

Ich besitze kein Tattoo und habe kein Piercing mehr. Ich drücke meine Persönlichkeit mittlerweile anders aus.
Das ist Deutsch

No tengo un tatuaje y no tengo piercing. Ahora expresso mi personalidad de otra manera.
Das ist Spanisch

Je n'ai pas de tatouage et je n'ai plus de piercing. J'expresse ma personnalité maintenant de autre maniére.
Das ist Französisch

I don't have a tattoo and I don't have a piercing. I'm not pushing my personality, but expressing it meanwhile differently.
Das ist Englisch

Facebook fragt, wie immer, irgend-was, redundantes..zu Begin, um mit etwas Redundantem zu beginnen:

Kennst du diese Person?

- Jetzt ja, zumindest erkenne ich etwas in ihrem ersten Bild, weshalb ich geneigt war die Anfrage zu klicken, was ich sonst nicht getan hätte, oder? Liebes, hochverehrtes und hochgeschäztes Facebook-Team hinter den Kulissen hier, soviel als offenen Post dazu.

p.s.: Danke für euer Verständnis. Und entschuldigt die Mühe wegen meiner sozial ungemässen Bilder mit sexueller Note und/oder sexuellem Thema. Ich lerne langsam, aber ich lerne ständig und stetig dazu. So auch in diesen Fällen, glaube ich.

Ich hoffe, mit den verbliebenen, noch nicht gesperrten Bildern ist nun endlich und endgültig ein für alle Mal alles im grünen/legitimen Bereich. Wenn nicht, werde ich auch dies zum wachsen und bessern nutzen wollen. Glaubt weiter an mich, so wie ich an mich und euch - an UNS glaube. Atem –

Ist Gott nicht ein genialer Recycler? Nichts ist im Cosmos je verloren gegangen. Alles wird wiederverwendet, alles wird geboren und nach dem Sterben wieder verdaut, von Scheisse zu Scheisse so zu sagen, selbst die Seele.))

Ich denke, es ist an der Zeit, dass sich mehr und mehr Menschen dazu bekennen, dass sie sich selbst als Gottheit definieren dürften und müssten, Verantwortung übernehmen, den Planeten zu retten.

I think it is time to define oneself as a God/Divinity and take over responsibility for this Planet.

Je pense qu`il est temps de se définir comme un dieux/ divinité et prendre la responsabilité pour le Planet.

Jo pienso que es tiempo de tomar la responsabilidad para el Planeta y definirse como un diós/ una divinidad poderosa.

*Vorsicht, ihr lieben, sehr verehrten,
weil in höchstem Masse*

höchstverehrbaren

Reichen und Mächtigen

und Einflussreichen & Mächtigen,
Reichen !!!! !!!! !!!! !!

Die Welt, das sei mein Gebot 8, oder
so, sei Euch allen, ohne Ausnahme zu
Dank und Verehrung angehalten, regel-
recht angehalten und durch Einsicht vol-
lkommen verpflichtet zu Respekt, erweiset
euch nur durch steigende Kontrollier-
barkeit und Nachweisbarkeit von allem,
weltweit, vor eurer selbst Gewissen als
würdig, durch Abnahme von Anhaften an
Angst wie an Materie im Allgemeinen.
ATem

*Ich denke und schreibe und meissle
nicht über Nichts, das NICHTS, weil ich
es nicht kann, - mich aber nach nichts als
NICHTS mehr sehne. Atem*
*Je ne pense ni ecris ni skupture pas
sur rien, le RIEN, car je ne le peut pas, -
mais je ne me prolonge pour rien mieux
que pour RIEN. Respirez- vous!*
*Jo no pienso ni escrivo ni sculpturo de
nada, el NADA, porque jo no lo puedo,-
pero jo me allargo a nda mas que al
NADA. Respiren se.*
*I do not think nor write nor sculpture
about nothing, the NOTHING, - though I
long for nothing more than NOTHING.*

*Breath, all healing by ALLLOVLYNESS,
the worth of Les, also known as God
Leslie, the first, demanding adequately
sufficiently for all Airplanes to be ground-
ed one fine day in Space and Time of
Leslie in Leslienity, endlessly and with
Leslie, just me. ..hihi.. (bowing in front of
the Audience of his imaginably imaginable
Imagination, in wich he is still on stage
Planet Earth). Amen & your Breath*

Ich bin, denke ich, kein gutes Vorbild.

Ich würde zum Beispiel nur schwer zum reinen Vegetarier werden. Als Letzter vielleicht, aus Trotz. Oder ich stehe auf Deutsche, sehr rassistisch, oder ethniistisch, oder kulturistisch. Und ich wünschte ich hätte Frau Susanne Klattens Vermögen von weit über 30 Milliarden €, um mir in Monaco die teuerste Wohnung der Welt für 300 Millionen € und die grösste Yacht der Welt dazu zu kaufen und zu nutzen, wie Gott auf Planet Erde nur denkbar dahinschweben sollte, nicht dahinleben. Und so weiter und so fort, auch in der Realität, in der ich nur ferienweise mal Ar-

beit schnupperte, in Fabriken der Autoindustrie und so, aber sonst auf das Gymnasium meiner Wahl ging, auf die vier Hochschulen meiner Wahl, in die Opernhäuser meiner Wahl zu den Ballettcompagnien meiner Wahl, zum Gartenbetrieb meiner Wahl, zur Airline meiner Wahl, weil sie dort Französisch voraussetzten und mein Spanisch schätzten und so weiter und so fort. Ich bin trotz meiner finanziellen, geistigen, und ererbten Machtlosigkeit und Armut in vielen Belangen, auf vielen Feldern, ein Kind des Elysiums, der oberen Etage, der, die den Göttlicheren unter den Göttlichkeiten immer noch vorbehalten ist. Wie auch immer.

Ich bin also, kein gutes Vorbild. Kein Leslienist, oder Leslieniker, wie Marx kein Marxist und Jesu kein Jesuit, oder Mohammed, kein Mohammedaner, oder Abraham kein Abrahamit, oder Texnokteklan kein Texnokletaner.

Sind Trump ein Trumpist und Putin ein Putinist, Erdogan ein Erdoganer und Kurz kurz ein Kurzist, oder Krzianier, Macron ein Macronist ???? ???? ???? ??

Jeder sich Rechtsverstehende ist ein National- und Populist, soviel sicher ist.

Ein Gegengewicht dazu ist mein gol- drobustes und diamantenscharf und präzise geschliffenes, reich an heilendem Ansatz/ Gedanken von höchster Brillanz sicherer

Wert

der

ALLIEBESHEILUNG für den Planeten Erde, zur Befreiung aller Wesen die jäh waren, seiend noch sind und jäh gewesen, für alle Zeiten und Räume, Taten wie Träume. Atem

...........•••

In meinem Reich bin ich also kein gutes Vorbild,

es gilt nicht mir nach zu eifern, sondern meinen Idealen und Visionsskizzen, vor allem meiner Schöpfung der

AL-LIEBESHEILUNG,

handschriftlich von mir selten verfasst und doch denkbar einmal gleich zu setzten mit den Schriftrollen von Kumran, als wäre jedes Blatt ein Kilobarren Gold, der kunstvoll einen brilliant geschliffenen Diamanten von hunderten Karat einfassen würde, so wertvoll die handschriftliche Überlieferung der Erfindung und ins Leben Rufung dieses kompakten, einfach verwendbaren Grundsteins meiner Philosophie/ Glaubenslehre des # Projekt"EINS" mit der Losung/Lösung "Jeder Mensch ein Gott/ eine Göttin" - mit sicheren Annehmlichkeiten versehen und mit sicherer Verantwortung. Wie zum Beispiel, Mithilfe beim Ausgleich der zu zahlenden/leistenden Werteverteilungen zugunsten der Opfer/Erben von 200 Jahren Sklaverei, oder millionenfachem Mord und hunderttausendfacher Verstümmelung des Kongos durch die Erben des Benefiz des Belgischen Königshauses und und und.. e.c.t. p.p. aller aus zu gleichenden Ausgleiche, Raum- und Zeitnah und - weit. Seid ihr bereit?

Zu dem Wert der ALL- LIEBESHEILUNG.. ???? ???? ???? ??

..der alle liebenden, aufmerksamen und unternehmungsstarken

Allesversteher und damit ALLEMVORSTEHERINNEN

ihre Wesensatmung samt Verständnis, Verzeihlichkeit (indianisch-afroikanischer Wertekonsens/ Wertenenner des lateinamerikanisch-katholisch-kreolischen Systems, der Barmherzigkeit (christlichster aller Grundwerte), sowie dem Mitgefühl (buddhistischster Zentral-Grundwert) zur Erfassung, Zurechtfindung, Rich- tungsweisung und nicht zuletzt Steuerung allen Seins - unisono in Einklang kommen lässt, zu einer Konzertation. Alleine die paar Wertesysteme, ohne Juden und Araber mit genannt zu haben und die anderen, Aborigenees und alle anderen Ureinwohner mit eigenen zivilisatorisch zu integrierenden weil auch wertvollen Kulturen.

zu einer

"Concertation",

Titel eines Bildes von Eugene Kidinda, das ich 2001 in Douala, Kamerun, Zentral-Westafrika im Hotel Hilton in einem Kunsthandelsgeschäft für afrikanische Kunst erwarb.

Eigentlich wollte ich noch mitteilen, dass ich in einer Art Hall sowohl homos deus als auch Richard David Precht höre, aber das scheint mir die Digitalität bei und mit derzeitiger Schwarm Intelligenz, gemischt mit Schwarminabilität, oder Insuffizienz, also Schwarminsuffizienz verunef- fektiviert, also Eine Uneffektivität durch Uneffektivierung sie sich sein lassend, die noch behinderte Schwarmsuffizienz der Exzellenz. Nicht Egon Krenz.- ..aber da stand also zu hört: Alte Kameraden. Auch wahr. Atem.

Gott Leslie hört Alte Kameraden.
3 Std.

Millionen, Milliarden(tausend Mil-
lionen), Billiarden(tausend Milliar-
den), Trilliarden (tausend Billiar-
den), soweit deutsch...english: mil-
lion, billion(one thousand million),
(no milliard in between), trillion (one

thousand billion).. and so on, so one vightillion in german is one dixneüveum, orders so.. und one vightiunillion in german is one vightillion in english. I am talking and thinking of an about and araund and through and out of and so on.. miilliilliums on souls, beings, of all spaces and times in # Projekt/Projekt/ Projetto/ Projecto/ Prjjeito ou Proe:jítu, and so on..# ONE, ahäa händ the world ow whou- whou would be as # ONE .. (Jhon LENNON) no time, working on my brick as groudworth for a building out of pure brilliant raindowcoulored in 4.444 leslienique to be pantentiated by each GOD, who wants to be named in Leslienic System and Listed, in the List of the World-Ground-Rights of all GODS/ GODDESSES .. colourenuancisses, the brillant building of facettelyrich and rich on facettes shaped diamonds - the building, containing within the ground brick, a pure solid golden ground as (german) Fassung - containing that worth as Grundstein, nur einen for my even more brilliant appearing real solid biggest of all brilliantly shaped, with perfect faceted gifted being, I invent herewith -DIAMOND of thoght beings in SPACE and TIME, the biggest DIOAMD AF ALL EXISTING ON EARTH, I CLAIM THE PATENT AND POSSESSION herewith to the World, called just with the heart able to constatern existence of GOD in EACH ONE OF US BEINGS, always already, here and now always during lifetime for each one, as for each to be BEING in all spaces of all universes thinkable. AS ALL ONE DAY DEAD gone over the dwell of DEATH. Punktum :II dacapo al fine, ad infinitum, wir sind hier noch nicht in der Kirche, Amen, Atem

Roling the development of my thoughts, regulary posted on Facebook up from backwards to read now in this collection of thoughts concerning the healing and freeing of all beings as far reaching as possibly thinkable, till the last zivilisational corner of our universe to be spread out by humanity entirely itself, transposing my will for integrational growing of all systems into „ONE"- the Projekt of giving life to the System of all Systems conducting all into one funktional „Concertation" to free all beings from the possibly avoidable suffering as far as thinkable also in animals and plants.

*Kennst du diese Person? - Jetzt ja,
zumindest erkenne ich etwas in ihrem ersten Bild, weshalb ich geneigt war die Anfrage zu klicken, was ich sonst nicht getan
hätte, oder? Liebes, hochverehrtes und
hochgeschäztes Facebook-Team hinter
den Kulissen hier, soviel als offenen Post
dazu.
p.s.: Danke für euer Verständnis. Und
entschuldigt die Mühe wegen meiner
sozial ungemässen Bilder mit sexueller
Note und/oder sexuellem Thema. Ich lerne
langsam, aber ich lerne ständig und stetig
dazu. So auch in diesen Fällen, glaube
ich.
Ich hoffe, mit den verbliebenen, noch
nicht gesperrten Bildern ist nun endlich
und endgültig ein für alle Mal alles im
grünen/legitimen Bereich. Wenn nicht,
werde ich auch dies zum wachsen und
bessern nutzen wollen. Glaubt weiter an*

mich, so wie ich an mich und euch - an
UNS glaube. Atem

Gott Leslie entspannt.

Gebt Acht, denn..es ist mit mir ein veritabler Dichterfürst am Start hier, ..ich denke, überlege, wäge ab, spreche und schreibe in ungewöhnlicher Weite und Breite, um Zeit und Worte zu sparen. Mal Jahre und Jahrzehnte.

zur Illustration und zum Beweis ein langer Abschiedsbrief an einen zum Freund und brudergleich geglaubten doch tatsächlich wortfrei kaltschnäuzig plötzlich von mir abgewandten Mitmenschen:

Lieber Alexander und wohl hochgeborene Durchlaucht, eure Exzellenz und/ oder Hoheit Prinz Alexander zu/von/von und zu? Turn und Taxis!

Da ich dir in allem Gesagten und Gehörten ungeprüft Glauben schenke:

Darf ich dich fragen, ob du mir verraten willst, wo ich den Bogen in Wort oder Schrift überspannt habe, dass du mich so kalt stehen lässt. Ich wäre mir dessen gerne bewusst, um weiter an mir arbeiten zu können. War es, weil ich dir den Tipp mit Kai Erhardts gemeinnützigem Verein angedeihen lassen wollte, oder gar darüber deinetwegen eine Stiftung für meine neue Religionslehre ins Leben zu rufen sinnierte? Ich war ein klein wenig druff und von deiner Akzeptanz mir gegenüber zudem sehr eingenommen bishin zu wahrlich begeistert. In meinem Geiste. Also, lass mich doch bitte wenigstens kurz und bündig über eine kleine Notiz von meinem faux pas mit etwas Gewissheit zum guten Ende Notiz nehmen, ja? Sehr gerne. Wäre dir dankbar für einen solchen dann wohl abschliessenden Freundschaftsdienst. Alles Liebe, aufrichtig, Les_is_Les_is_Les,

*p.s.: offen gezeigt schon ziemlich trau-
rig über dein anerkennungentzügliches
Verhalten, aber noch immer aufrecht mit
einem Rest Glauben in dich und dein
menschliches Format als Menschenfre-
und, Leid-Versteher und Nicht-Urteiler,
wie ich einer zu sein meine. Dachte wirklich wieder wir wären Brüder im Geiste
durch und durch. Habe ich mich wohl
falsch eingeschätzt, oder dich, oder
uns..nur wozu dann die Blutsbrüderschaft
mit mir? ..Ratlosigkeit auf weiter Flur.. na
ja..es geht immer weiter und
weiter..mach`s besser!
13:11
p.p.s.: ..oder wärest du etwa bei allen
guten Geistern im Stande, mich am Ende
des Tages nur leiden sehen zu wollen, es*

geniessen könnend wie dein seliger Herr Bruder dir und deinem seligeren Schwesterlein einst gegenüber? In dem Fall wäre ich ja aber sowas von blitz-kuriert wie nie zuvor. Keine Antwort wertete ich also als eine dies bezogene Antwort. Mein Sieg, mir Heil, in dem unvorstellbaren Falle aller denkbaren wie undenkbarsten Fälle. Zum gründlichen nachdenken hättest du mich somit erwiesenermassen schonmal gebracht, Kleener. *seufz wie grunz*

13:27

p.p.p.s.: lies mal meine eben erdachte Nachricht an einen noch völlig Unbekannten, so bin ich, lotusgleich rein und unbefleckbar jedweden natürlichen Dreck abperlend: .. .. .. "Wird sich dann ganz zeigen, keine Sorge, bin sehr selbsthinterfragend und daher auch fast immer gelungen vorsichtig und umsichtig wie auch sehr nachsichtig, nicht leicht oder kaum bis gar nicht urteilend, geschweige denn verurteilend. das steht, wenn dann nur dem dem Nachleben folgenden Raume *zu. ..ach, danke. steck ich mir gleich ein für schwere Zeiten..))" Ende der Nachricht(en) für immer und ewig, in alle Unendlichkeit, dorthindurch und weit darüber hinaus gedacht. Atem (Anhang: meine Bildsignatur/mein Bildsiegel in s/w und 2xbunt) Berlin, den 8.Juli, 2018 auf dem Bett im Schneidersitz, meiner bescheidenen Dichterschmiede samt Position/Attitude, seit nunmehr 2016 im Flusse, der niemals derselbe ist, bei wiederholtem Bade*

Gott Leslie glückselig.
10 Std. ·

*Ich habe alles wesentliche im Leben
allein erlebt.*

*Niemand teilt mit mir meine bedeu-
tenden Momente, Augenblicke für die
Ewigkeit, Bilder für die Götter. Also kann
ich ebenso alles ungerührt dem Oblivion,
dem Reich des Vergessens überantworten
und klanglos davon ziehen, ohne einen
bleibenden nennenswerten Fussabdruck
irgendeiner Art zu hinterlassen. Als wäre
ich nie für irgendwen oder -was gewesen.
Gute Voraussetzungen, nicht wieder geboren werden zu müssen. Wie erle-
ichternd, diese Aussicht ins unendlich
ruhige Blaue. In den unendlichen Himmel. Jeden meiner Atemzüge um so freud-
voller, gelassener, erhabenner und einfach
glücklich atmen zu dürfen zu geniessen
solange der Atem währt. Atem, Amen,
Namaste, Inshala und alle fehlenden*

Abluschworte die es je gab und gegeben haben wird. In Ewigkeit sei ich gewesen zur Befreiung aller Wesen. So vollendet, erfüllt und gelungen mit nichts als dem Wissen von meiner blossen Existenz zur Heilung aller Probleme und Lösung aller Fragen und Zweifel über Sinn und Unsinn im einzelnen wie im allgemeinen, im Kleinsten wie im Grössten. Wir wurden alle als Götter geboren und werden es immerfort für immer werden. Man muss es nur sehen und begreifen und umsetzen, was kein Zuckerschlecken ist, aber auch nicht die Hölle auf Erden. Eine machbare Aufgabe. Nur zu schwer für die Menschheit als Ganzes, wie mir scheint. Wie soll sich das nur rechtzeitig herumsprechen? Es ist doch schon viel zu spät für ein umsteuern des Kahns. Oder nicht? Ich denke schon.

Dann noch diese geringe Reichweite meiner Gedanken. Zwei likes, maximal 30. Wenn ein Prozent liked, dann haben es höchstens 3000 gelesen, davon wieder ein Prozent verstanden. Bei dem Tempo

bräuchte ich Jahrhunderte, um genügend
Überzeugung mit Reichweite geleistet zu
haben. Wenn mir niemeand sonst das
Wasser reichen kann, den guten und
richtigen Weltweg zu weisen. Bisdahin ist
doch eh alles dahin. Mit dieser Aussicht
muss ich wohl umgehen lernen, die kann
ich nicht anders umgehen, es gibt dazu
keine Umgehung. Da muss ich durch, als
einsamer Wanderer, wie liegender, ruhen-
der Buddahgleicher. Als einsamer Gott auf
weiter Flur. Nur. Pur. Ohne Uhr. mit Dieter Nur zur Kur an der Ruhr. Salut,
Charles Aznavour ! Göttlich ist auch
Pourpour. Was mir blitzartig einfuhr.
Bach, Beethoven und Mozart schrieben in
Moll und in Dur. That`s for sure ! So un-
sicher wie das Amen in der Kirche, ein
kurze Menschheit lang, war jedem bei dem
Schlusswort bang. Zu meinem Überdruss
ist damit Schluss. Befreiung aller Wesen
von Angst vor Gott zum Allgenesen durch
Allliebesheilung. Viel wertvoller als bloss
die nackte uralte, morsche gequälte

Barmherzigkeit Jesu, oder besser noch die ewig während feuerrot lodernde Hölle, trotz allem Gottvaterns Wert der Bermherzigkeit, auf dem unsere Gesellschaft ihre Wahngebilde wie Staat, Verdienst, Ehre, Ansehen und Geld aufbaut, denn die steckt da ja schon mit drinnen, die Barmherzigkeit, ganz selbstverständlich, wie auch das allerorten immerwährend Allverzeihen. Alles in meiner weitaus vollwertigeren , gesünderen und durch alle Höllen sicherer weisende Allliebesheilung mit drei L hintereinander wie drei ttt hintereinander, man nehme das ‚bild dreier Balletttänzer, drei sich in ihre Ärsche fickende Männer in einer kopulierenden Reihe mit Glied mal drei hintereinander. Wetten das wird die Welt sofort als Skandal realisieren? Um alle meine Werte. Die sicher und einfachst unendlich Teilbaren und Vermehrbaren. Wie ein pandemischer Super-Virus. Unentdeckt auf seine Chance zur rabiaten Verbreitung wartend. Genügsam in

Anonymität verharrend, beim Gehen mit dem Dielenboden knarrend. Eile nicht, denn wer seine Ruhe liebt hasst Hast. Am Ende war immer alles als Sinn bewährt, was für verloren erklärt und nichts hatt` Bestand was Relevant genannt. Als Auserwählter auserkoren, die Zeit mit za- udern, zögern und Weltverweigerung ver- loren. Weil mir jede Aufgabe von oben, einer Frechheit unzumutbar gleich er- schien und scheint und mir egal wer sonstwas meint. Solang mir nur die Sonne aus dem Arschloch scheint vor wonniger Zufriedenheit zum Atmen wie zum sterben gleich immer schon bereit. Ohne Streit und frei von Klagen, soll wer es mir zu zürnen wagen, mit Anspruchshaltung und Erwartung gar entgegen zu treten. Den lehre ich gern das rechte beten, mich an zu beten namentlich: I love you endlessly and Leslie nämlich, ja so dämlich. Er- furtvoll, samt Demut gar, da lass ich keinem Gott noch Schrott ein Haar, zu zeigen wer ich bin und war, aus Nichts zu

Allem was man jäh begehrt, zu Nichts das
bleibt auch mir nicht verwehrt. Doch einmal war ich der helle Schein, das lange
und vielen und immer wieder so oft und
konstant das ich mich überwand und selbst ein Gott auf Erden dann genannt, bevor
der Gott verschwand. Für immer und alle
Zeit, voll Vorfreude darauf, allzeit bereit
und dann befreit. Zum Atem aller Räume
und aller Zeiten werdend, sich als Wind
und Sturm gebärdend, ewiglich frei, unendlich frei, dieses Pläsier niemals mehr
hergebend wurde der Herr sehr bebend.
Hier mal tötend, dort eben mal belebend.
Für alle Zeiten schwebend über allen und
allem in Ewigkeit. Bist du verstört, dann
weil es sich gerade so gehört. Ich habe
mich noch nie über die Lächerlichkeit der
Existenz empört. Die Lächerlichkeit ist für
alle Zeit lächerlich gemacht. Was haben
wir gelacht. Ach, wie unlustig sie doch ist,
die Lächerlichkeit hat sich darum vollends
verpisst und wurde nie mehr vermisst.
Ausser von Wesen, deren Schädelinhalt

*war voll Misst. Was traurig und nicht zu
ändern ist. Wie die des katholischen Pfar-
rers, der nach unserem animalischen Sex
mit erhobenem Finger mahnte, das ich
doch soeben gesündigt habe. Er sei wohl
nicht dabei gewesen erregte sich kurz mein
Schönwesen. Das Entschuldigungsgesuch
per Karte, er sei doch auch Teil des Aktes
gewesen, nicht worauf ich gerade wartete.
Wie armselig doch auch noch. Er kroch
durch die Karte. Was ich inzwischen in
alle Ewigkeit von ihm weiterhin so er-
warte, frei von Verlangen, ohne Bangen.
Da wir um nichts rangen. Unsere multiple
Gottheit himmelewigkeitenweit..Verhal-
tens- und Gestaltungsfreiheit
lebenslänglich, jeden Augenblickes. Un-
zählbar vieler an der Zahl, unendlich gleich in diesem Wimpernschlag, so lang, so
kurz, wie ich es mag. Ein Leben voll von
Gegenteil so scheckig schnell vorbei wie `n
Pfeil. wie geil. Und mitten ins Herz, immer
wieder, zur Übung aller knochig Glieder,
voll getroffen von Liebe besoffen, nichts*

übrig zu hoffen, hab alles gehabt, mich am Leben erlabt. Nur zu verschenken, geb ich zu bedenken, hätte ich gerne mehr gehabt und mich an der Befriedigung der Beschenkten gern mehr erlabt. So á la Klatten, was die so hatten..hahahaha..dafür bin ich ewig und war schon immer da. Klar? Ich lach mich rar..soviel ist wahr. Des Reimes wegen hingebogen - voll gelogen. Davongeflogen und selbst betrogen. Als die das mit den Drogen erwogen. Als Pfütze geendet, das Blatt gewendet, alles verloren, nicht aus-gegoren. Ein nichts und niemand im Nie-mandsland erkrankt und unerkannt. Ungeduscht, geduzt und ausgebuht, kaum ausgeruht. Was für ne Brut, mit deinem Blut, gefreut am Leid, dem Meinen. Das sich verkehrt zu deinem, wenn alles sich auflöst in meinem Wort, weil ich bin hier, dort und hinfort. "Wir Kunsthändler sind soweit kultiviert, das wir Konflikte nicht durch Totschlag lösen." Donna Leon im Ersten, Schwachsinn zum bersten. Und *das Kind liest Hera Lindt. Und das Kind liest Hera Lindt. Weil Götter ewig sind, solange jemand an sie glaubt und ihnen nicht das Leben raubt, indem er sie für tot erklärt. Ich erklär sie mit euch für sehr lebendig. So an die Arbeit nun und seid behändig. Ständig. Grüsse von Madame Gertrude Stern, die hatte Picasso ja so gern. Was wenn die Wolken vorübergezogen wären, so rot wie Bären. Unglasiert hab ich sie immer wieder konsumiert, bis mir der Bauch ganz voll und ik mir fühlte janz janz doll. Auch das ging vorüber, kopfüber in den Pool gesprungen war mir die Pirouette nach der Attitude gelungen. Da habe ich das Bein geschwungen. Hier ein Photo davon zum Beweis. Ich will jetzt ein Eis. Wer hat diesen Scheiss hier ganz gelesen, oh mein Gott, der ist längst weise gewesen, am verwesen oder wieder genesen. Shalom, soll komm`n. Ischlagdischbisdulachs. Wortkunst im Zoo mit Dachs. Die Werte war n Klacks doch nun haben sie nen Knacks. Und der Afrikaner* *der, der schnackselt gern. Grunzt Gloria, ganz, ganz, ganz fern. Die, die die Irre miemte, was sich für jedermann nicht ziemte, der ich zu sein nicht leugnen will, drum werde ich gleich grabesstill. Da ist nichts, was ich begehr noch mir verwehr. Ich bin mein Meer und auch mein Wind und mein eigenes Kind. Worin ich verschwind. Im nichts wir "Eins" dann sind. Wollüstigst blind. Wer dies liest ist ein voyeuristisches Rind. Wer dies schrieb auch, Durchlaucht.*

Gott Leslie frei.
13 Std. ·

Von der relativen Wertlosigkeit aller Werte

Wenn ich mich gedanklich nur weit genug ins all hinaus begebe, bewege, meditiere, was immer, von der Erde entfernend, dann erscheinst du mir so klein, meine liebkoste, liebe Lieblingsmenschheit, wo ich keine andere kenne, - erscheinst du mir so klein, dass mir jede meiner Lebenssekunden relevanter erscheint als alle in deiner Geschichte gebildeten und geschürften Werte materieller wie ideeller Natur zusammengenommen, da ich mir meine selbst zusammengeklaubt, gesammelt, gebildet und geschürft habe, über die Jahre und sie weit ins all mit hinaus nehme, ganz leicht und doch mir selbst allein gewichtiger als alle die deinen zusammen genommen. Ich möchte nicht eine meiner Sekunden gegen alle deine Werte zusammengenommen eintauschen. Das erschiene mir wie ein schlechtes Geschäft zu machen. Jede meiner Lebenssekunden ist mir wertvoller als alle menschheitsgebildeten Werte zusammengetragen auf einem Berg der Menschheitswerte. Eine wert- und bedeutungslose Müllhalde, nichtig und flüchtig, ein Haschen nach Wind, wenn man nur genug Abstand dazu gewinnen kann. Ich kann, spielerisch, mit tänzerischer Leichtigkeit und traumwandlerischer Sicherheit.

I DID NOTHINHUG FOR HUMANITY BUT TO DREAM ON FACEBOOK A DREAM OF A BORDERLESS WORLDSYSTEM BUILD TO WORK AS

"ONE", THE FUTURE PROGRAMME FOR ALL SYSTEMS TO INTEGRATE THEMSELVES ALL TOGETHER IN THIS "ONE", THE ONLY PEACEFUL WAY OUT OF ALL CATASTROPHES WAITING FOR UN-UNITED AND UN-CONCERTATED HUMANITY INSTEAD OUT THERE IF WE WAIT FOR OTHERS TO REALISE IT.

#"ONE"WORLDSYTEM FOR ALL SYSTEMS OF THE WORLD TO WORK AND INTEGRATE ALL TOGETHER, WITH ONE DIGITAL CURRENCY, PROVIDING ALL HUMANS WITH MONTHLY INCOME OF ENOUGH TO LIVE HAPPILY EVER AFTER. SERVING EACH OTHER AS CENTRAL VALUE. HOPE AND LOVE AS VALUE. ALL-LIEBESHEILUNG AS A VALUE. AUTHENTICITY AS VALUE. ENDLESSLY FORGIVING AS VALUE. ACKNOWLEDGING EACH OTHER AS GODS ON EARTH, POLY- OR MULTITHEISM AS NEWEST OF OLD VALUES TO REAC-

TIVATE WITH THE UPDATE TO EVOLVE/DEVELOPE EACH OTHER TO REALLIFE GODS AND GODDESSES WITH A DUTY TO REMEMBER ALL PASSED AWAY GODESSNESSES AND CREATE WITH THE TIME A VALUE OF FORMER GODS TO GIVE US OUR PLACE IN EVOLUTION AND EMERGE TO A HIGHER SPEZIES WITHIN THE FASTEST TIME POSSIBLE TO ZIVILISE OTHER PLANETS AS SOON AS POSSIBLE, EVEN BY SATELLITE COMMUNICATION, SPREADING OUR HIGHER BEING AS "ONE" BY CONCERTATION. PURE HARMINISED CONCERTATION, FOR EVER IN ETERNITY. BREATH, IT`S TRUE. WE CAN SIMPLY WORK ALL TOGETHER AND LIVE IN A COMMON WEALTH, WITH COMMON VALUES, IF WE REALISE FEW THOUGHTS AND IT CONSEQUENCES: FIRST: WE ARE ALL BORN AS GODS AND GODDESSES, BUT MADE STUPID IN A FASHIST

WORLD CONSTRUCT, JUST REALISE IT A FREE YOURSELF FROM THE BELIVE IN THAT SYSTEM. BUILD YOUR OWN ONE WITH THE MAJORITY. JUST CONVINCE THE MAJORITY OF A BETTER REALITY. THE REALITY OF ALL SYSTEMS INTERGRATING IN "ONE". ALL IN "ONE". THE STRONGEST CONCEPT OF ALL. WHO CAN HELP TO MAKE A BIG STEP FOREWARD AND PROGRAMM A SUPERVISIONAL INTRODUCTION FOR FUNDRAISING AND BUILDING A "STIFTUNG" AND SO ON, BLA BLA, BLA ALL THAT SHIT I DONT LIKE. HELP !!! !!! !!! !!! HELP ME STRENGTHEN YOU ALL. FOR MOTHER NATURES SAKE FINALLY. EVEN IF IT IS MAYBE TO LATE TO CREATE A HEALING WORLD BUILD AS "ONE". IT SEEM TO ME, I CAN TOUCH THE CLOUDS IN THE SKY. WHAT A PLEASURE TO REACH FOR THEM. ALL TOGETHER AS HUMANI-

TY WE SIMPLY COULD REACH OUT FOR THE SKY AND REACH IT IN RE-ALITY. DONT BELIVE IN ME. BELIVE IN YOU AND US AS "ONE". THAN WE CAN HOPE TO KNOW AND FORGET ALL RELIGION TO LIVE AS GODS IN A HEALED PLANET. IMAGINE, WE ALL WOULD WALK BY FOOD AND STOP DRIVING BY CAR, WORLDWIDE, IMMEDIATELY, FROM NOW TO TO-MORROW. NO CARS WORLDWIDE ANYMORE. AND NO ANIMALS EAT-ING, ALL VEGAN, WORLDWIDE. AND ALL DREAMING MORE ABOUT US AS "ONE", WORLDWIDE. EATING ALL TOGETHER WORLDWIDE. HEAVING A ROOF ABOVE, BREATHING CLEAN AIR, DRINKING CLEAN TASTY WA-TER, ALL WORLDWIDE. CONVINCING ALL SUPERRICH TO JOIN THE CLUB OF THE POOR GODS, TO ENABLE THEM A CONDITIONLESS INCOME, WORLDWIDE. IMAGINE THESE FEW THOUGHTS WOULD BE RECON-

CILED AS CONTEMPORARY OR LESLIENIC VALUES IN MANKIND, IN HUMANITY, IN US AS CONCERTATED GROUP OF ALL POOR GODS AND GODDESSES BELIEVING IN THEM-SELVES, BECOMING A NEW MOVE-MENT TO INVITE ALL NATIONS, SYS-TEMS, GROUPS, AND SO ON TO BE A STRONG KONSTRUKTION, SIMPLE, BUT HAPPINESS SPREADING MORE THAN ANY OTHER VALUE, DUE THE HOPE AND REALISATION POTEN-TIAL IN IT TO GROW WITHIN FEWEST TIME INTO NEW HUMANITY FULL FORGIVINGNESS AND ACCEP-TANCE OF EACH OTHER, BY KNOW-ING THAT EACH OTHERS DREAMS ARE NO LONGER REDICOLOUS, BUT SWEET OR MORE THAN THAT. REDI-COLOUSITY IS A VALUE OF YESTER-DAY SENT INTO OBLIVION, THE REIGN AND SPACE OF FORGETTING. WE WILL FORGETT TO HUMILIATE US, EACH OTHER AND LET US BEING

HUMILIATED AND MADE LITTLE. WE LEARN TO MAKE EACH OTHER BIG AND BIGGER, SEE THE BEAUTY IN EACH BEING AND MAKE IT MORE BEAUTIFUL BY BRINGING THE BEST OUT OF EACH OTHER. WORLDWIDE AS A SYSTEM OF GROWING EACH OTHER AS BIG AS POSSIBLE BY US-ING AUTHENTICITY TO KEEP REALI-TY AS MEASUREMENT IN FOCUS TO DISTINGUISH ALL LEVELS OF QUAL-ITY, EVEN BETTER THAN BEFORE. SPECIALSTION IN EVALUATION OF ONES LOVE, PROFESSION OR HOB-BY. CULTIVATING THE HEART, CLEARING AND OPTIMIZING THE BRAIN FOR BETTER COOPERATION WITH US AS "ONE". CONVINCED? OH YES. I SEE YOUR ASTONISHED SOUL. I GOT YOU TO UNDERSTAND WHAT I WANT AND MEAN. I AM AL-READY IN PARADIESE FOR EVER IN ETERNITY. IT IS ABOUT YOU. GO ON,

BUILD "US" AS CONCERTATED "ONE". GOOD LUCK !!!! !!!! !!!! !!!!

ATTENTION DEAR OVER 7,5 BIL-LION FELLOWS,

THIS IS AN IN A FACEBOOOK-POST EMBOTTLED MESSAGE WITH ASK FOR HELP BY ALL MANKIND !!!! !!!! I NEED YOUR HELP !!! !!! !!! !!! WAKE UP !!! !!! !!! !!! # BUILDING HEAVEN ON EARTH WITH DIGITAL WORLD-GOVERNANCE ASKING ALL SYSTEMS TO INTEGRATE THEMSELVES IN "ONE"THE SYSTEM OF ALL SYS-TEMS COMBINING ALL WITH A FEW NEW RULES. MAKE IT REAL BY DREAMING WITH ME TILL WE GOT THE MAJORITY THAT BUILDS THE

"ONE" -PROJEKT BY ITSELF, FOR DISCOVERING THEIR OWN USE BY ABOLISHING NATIONALISM, FASCHISM AND CORRUPTION.

YOU ARE POOR? POWERLESS? HELPLESSLY LOST BY THE SEARCH OF SENSE IN LIFE?

YOU ARE MY MAN/WOMAN ! I WILL MAKE YOU A REAL SERENE GOD/GODESS, IF YOU JUST UNDER-STAND, YOU DONT HAVE TO SIMPLY BELIVE IN MY WORDS. BE SUSPI-CIOUS, INSPECT AND INTERROGATE MY THOUGHTS, COMPLETE THEM. MAKE THEM REDUNDANT IF YOU CAN OR BUILD ON THEM, IN MY SENSE IF YOU GET ME, WHAT I WOULD LOVE TO SEE. KNOW YOUR UNIQUE ABILITY TO PARTICIPATE BY COOPERATING WITH ALL PROJECTS YOU UNDERSTAND AND REALISE AS HELPFUL TO PARTICIPATE IN THE WORLDWIDE FUNCTIONING AS "ONE", STARTING AS DIGITALLY TO

*CREATE SYSTEM OF SYSTEMS, ASK-
ING ALL KINDS OF SYSTEMS
WORLDWIDE TO PARTICIPATE
BUILDING A NEW CENTRAL INTEL-
LIGENCE OF HUMAN INTELLIGIBIL-
ITY. MAKING CIA, NSA, NASA, FBI,
KGB, EX-KGB -NOW- I DONT NOW
WHAT, AND ALL INTELLIGENZSYS-
TEMS OF THE WORLD MELT TO-
GETHER, USING FANS FROM OLD
STRUCTURES AS WHISTLEBLOWER
OR MAKING THEM SIMPLY REDUN-
DANT BY BUILDING A SYSTEM OF
TRUTH, INCORRUPTIBLE, USING
TRANSPARENCIE AS INDISPUTABLE
VALUE IN ALL PROGRAMMABLE
LEVELS AS STRONGEST SECURITY,
FIREWALL FOR ALL ITEMS, REAL-
IZED RESPONSIBILITY IN OUR DIGI-
TAL DNA. GAINING THE LOOK OF
GOD. UNDERSTANDING AND NEVER
FORGETTING IT AGAIN. YOU ARE
SAFED NOW FOR ALL TIMES TO*

*COME. NEVER AGAIN THE QUES-
TION WHY??? ??? ??? ???*

OR

*YOU ARE AN ACKNOWLEDGED
WELL DOTATED BUSY INGENEER
FOR HIGHEST QUESTIONS OF DIS-
TRIBUTIONAL INTELLIGENZ SYS-
TEMS, DELIGATING MOST DELICATE
OPERATIONS AROUND THE WORLD
TO HIGHLY SPECIALIZED COR-
RRYPHEES IN EBONYLIKE AND DI-
AMONTSAME TOWERS OF ELYSEUM
OF HUMAN GODS ON EARTH, TOP
SECRET AS DAILY TOPIC? YOU ARE
MY MAN/WOMAN THE SAME RELE-
VANT FOR REALISATION OF #HEAV-
EN ON EARTH , OR #"ONE"
WORLDSYSTEM FOR THE ONE
WORLD, WITH GOVERNMENT, MON-
EYSYSTEM, MINISTRIES, SCOOLS,
DEDICAL SYSTEM, EDUCATIONAL
SYSTEM, TRANSPORTATION SYSTEM,
SOZIAL SYSTEM, SERVICE AND AS-
SISTANCE SYSTEM, JUDICAL, EXEC-*

*UTIVE AND LEGISLATIVE SYSTEM
IGNORING THE NATIONAL SYSTEMS,
EVEN THE CONTINENTAL BECAUSE
AURS SUSTAINES US ALREADY COM-
PLETELY: END OF THE ENDLESS
HASHTAK*

*MUSIK OF A NEARBY FUTURE?
OR JUST THE REDICOULOUS DREAM
OF AN AMÖBE IN AN OCEAN OF
BIGGER CREATURES? WELL, THAN..
PLEASE GO ON AND IGNORE ME,
IF YOU KNOW THAT THE "ONE" IS A
REDUNDANT DREAM OF YESTERDAY
AND CONGRATULATIONS FOR MAK-
ING ME INDEED REDUNDANT IN
REALITY. I WILL REALIZE IT BY THE
SILENCE OF THE WOOD SURROUND-
ING ME FOR EVER AND EVER, TILL
IT´S BROKEN BY NEWS, INTRODUC-
ING YOUR WWW.WORLDSYSTEM OF
ALL SYSTEMS AS THE NEW GUID-
ANCE WE WILL HAVE TO TAKE NO-
TICE OF AND ORIENTATE ON FOR
ALL FUTURE TIMES. I HOPE YOU*

WILL HAVE BEEN LESLIENIC OR EVEN WIDER THINKING OF ALL EVENTUALITIES, POSSIBILITIES AND IMPOSSIBILITIES TO ENSURE BLOODLESS PEACE ON EARTH FOR EVER AND ETERNITY. BREATH TO EXPECT

Joyful BUT SERIOUSLY MENT, IN ETERNALLY GROWING SPINS CIRCLING AROUND INTO HIGHEST HIGHTS, FOCUSSED, IN YEARS MEDITATED AND VERY HARD WORKED OUT, created, visionary METATHOUGHTS for the most enthusiastic and ENABLE INTELLIGENCES and powerful, responsible EXCELLENCIES of the PLANET EARTH.

Can I reach to you? Can you read me?

I DO HOPE SO IN OUR ALL INTEREST. SINCERELY. INDEED.

Touch you? See you get in touch with respect, not contacting me directly but making me an important brick in the puz-

zle of the coming "ONE", the digital system to be programmed by humanity as one equip making existing, ruling, xenophobic politicians and financial institutions with faschistoide programming and reality implode like faul fruits, overgoing the old inefficient systems with the "ONE".

Convinced you to help US build a virtual www.digital-government?

Better take me JUST AS PRE-VISIONARY BIG BANG LIKE PRIMITIVELY STARTING "BURB" OR "FART"

..as your inspiration as SUPER-META-Meta-thinker-DREAMER,

as Couturier amongst Philosophers, writing its personalized, colourized, skizziated Collection of futurale systems within this system of all systems of mankind, to be FINALLY ONE DAY OF COURSE JUST perfektioned by robots in the spirit of Leslieenity, the reign, the space where my values are taken as first of all mankind shared values, as ground to build on all

highest Intelligibility of Humanity on top,
for its solid and un-misunderstandable
values as compass and frontiering spaces,
for its will for efficiency and its good hu-
mor, all can understand, you can hate or
love, but in the end you must adore, what?
simply the BIRTH of an all integrating
Super-Metasystem with
working title: "ONE"
TO BE LIED TO THE GROUND OF
THIS BUILDING: AN ECOLOGICAL
FOOTPRINT-LIST FOR THE VIRTU-
ALLY TO BE REALISED, first of all as a
game digitally to be builded
"O.N.E. C.O.N.C.E.R.T.A.T.I.O.N.
G.O.V.E.R.N.M.E.N.T."
MAYBE FOLLOWED BY A HU-
MANITARIAN OR EMOTIONAL-
FOOTPRINT-LIST, OR BOTH AND
MORE LISTS, ALL KINDS, WITH ALL
KINDS OF CONSEQUENCES, ALSO
INFORM OF PRIVILEGES, LIKE EN-
TRANCES IN SOCIAL SYSTEMS, GOV-
ERNAMENTAL SYSTEMS LIKE MU-

SEUMS, THEATRES, MILITARY SPA-CES OF NATIONAL DEFENSE, POLIT-ICAL SPACES LIKE PARLIAMENT, "ACCES TO SPEAKER-PULT FOR 10 MINUTES FOR ONES LIFE-WORK DURING 45 YEARS OF TAKING CARE FOR WHATEVER IMPORTANT" YOUR TIME TO SPEAK TO THE NATION, IF YOU LIKE, OR PASS IT ON AND GET A BRAND-NEW MOTORIZED MOTHER-BOARD WITH SOLAR-TECHNIK OF THE LATEST GENERATION FOR YOUR 45 YEARS OF WHATEVER WAS SO HELPFUL TO SOCIETY.

BUT WHAT DO I MEAN BY CONCERTATION,

WHAT IS IT??? ??? ??? ??? This Concertation ??? ??? ??? ??

MY WRITING PROGRAMM JUST DOESNT WANT TO ACCEPT IT AND ALWAYS SUGGESTS CONCENTRA-TION. NO. IMAGINE..

First of all: It is the Title of my fa-vorite painting by Eugene Kidinda an african Painter from Kameroun -West-Central Africa, former german and alternating french Colonie.

I sell it for some fair money on e-bay, to help my mother repair her roof, in which it is raining. With a heavy heart. Ok, but it is more..

CONCERTATION

IT IS TO BE INSPIRED BY A GREAT VISIONARY BRAIN, I am not at all writing about mine, there must be bigger ones, many much bigger ones to take this place of bringing my phantasies into rolling existence, some rich, intelligent person with a lot of illutral contacts to other visionaries with certain output, born to influence AND GIVEN TO INVENTIONING, INGENIERING, SHAPING, GIVEN SPIRIT , SENSE AND THE WILL OF EXISTING, ..

...THAN..

WRITTEN DOWN FIRST OF ALL VISABLE STEPS,

BY A COMPOSING INTELLI-
GENCE,
FOR EACH INSTRUMENT IN OR-
CHESTRA IN ITS MATCHING TONE-
KIND.
THAN TO BE REHEURSED BY
THE COPOSER/CONDUCTOR AND
ORCHESTRA,
MAYBE WITH FULL SINGING
CHORUS,
WITH COSTUMES,
CULISSES-TECHNICIANS,
CARPENTERS,
LIGHT-TECHNICIANS,
FULL CHORPS DE BALLET
AND THAN SUPERVISED BY
CONDUCTOR DURING THE PRE-
MIERE-NIGHT
AND EACH FOLLOWING PER-
FORMANCE,
ALSO THE FOR THE CORPS DE
BALLET ENNOYING DOUBLE AFTER
THE SUNDAY MATINEE, CAUSE
THERE IS NO SECOND CAST

PLANNED, OR AFFORDABLE WITH THE ENDING BUDGET:)
THAT WAS AN EXAPLE FOR THE INNER MEANING OF THE WORD CONCERTATION
A VERY IMPORTANT WORD, RE-MEMBER IT, FOR EVER, PLEASE!!!! !!!! !!!! !!!!
LIKE CONVERSATION, BUT EVEN MORE IMPORTANT, BECAUSE ONE GENIOUS COULD DO IT ALL WITH-OUT CONSULTATING ANY BEING BY CONVERSATION, LIKE A COMPOSER LIKE BACH, OR ME NOW? LESLIE? DONT KNOW..THAT IS WHY I ASK FOR
HELP !!!! !!!! !!!! !!!! BY ALL !!! !!!! !!!! !!!! TO BUILD THE "ONE".
AND THAT DIGITALLY BUILDET AND CAREFULLIEST BUT QUICKEST POSSIBLE GROWN SYSTEM OF SYS-TEMS EVER CREATED IN MANKIND, THE MOST EXQUISIT PROGRAMMA-

TION AND FULLEST FUNCTIONING CREATION OF EXCELLENCIES AND GODS WITH CONFIDENCE IN THEIR ALL-ROUND PROVEN POTENTIAL AS RIGHT IN TIME AND IN SPACE AT THAT POSITION TO PARTICIPATE THE MOST DELICATE, THE CENTER OF FUTURE HUMANITY-SYTEM OF ALL SYTEMS TO CONCERTATE ALL SYSTEMS IN NO TIME. WHAT A PLEASURE, WHAT A RESPONSIBILI-TY. LIKE THE HIGHEST BUILDING BY MANKIND EVER AND WITH MOST EXCUISIT, EXCELLENT AND LUXU-RIOUSLY FUNKTIONAL , EASY AND EFFICIENTLY WORKING EFFICEN-CIE TO BE FULFILLED AND BROUGHT INTO LIFE TO CONVINCE ALL, THAT THIS IS THE FUTURE WE ARE LONGING FOR, NOT JUST AS A GAME FAR FROM BEING REAL. NO. WORKING WITH REAL CURRENCIES TOGETHER. BRINGING GAME INTEO REALITY TO HEAL AND SAFE THE

PLANET. HUMANITY AS TOOL FOR THE RESCUE OF MOTHER NATURE. THE SYSTEM OF ALL SYSTEMS JUST FOR MOTHER NATURE, THE MOST DEVINE, PRECIOUS AND FRAGILE BUT ALSO MIGHTY OF ALL SYSTEMS WE KNOW AND WILL EVER GET TO KNOW. ALL FOR THAT ONE GOAL:

HEALING MOTHER NATURE.
HEALING MOTHER NATURE.
HEALING MOTHER NATURE.
HEALING MOTHER NATURE.
HEALING MOTHER NATURE.
HEALING MOTHER NATURE.
HEALING MOTHER NATURE.
HEALING MOTHER NATURE.
HEALING MOTHER NATURE.

GOT IT ??? ??? ??? ??? ONCE AND FOR ALL.

THE SACRET, NOT SECRET IN-NERST SENSE OF ALL PROGRAM-MING BY US HUMAN BEINGS IN EL-EGANT SUBLIME AND SOPHISTI-CATED CONCENTRATION OF "ONE".

DANIEL BARRENBOIM WOULD UNDERSTAND AND LOVE ME FOR THIS. HE ENGAGED ME AFTER HE SAW ME DANCING IN THE AUDITION 1992 OR '93. SO WE MET ALREADY. CROSSED OUR WAYS. ASK HIM IF HE AGREES WITH ME, PLEASE.

FROM A TO Z, FROM FIRST TO LAST PROZESSION, SO WELL EQUIPPED, THAT IT IS THE BEST HIGHEST VALUE, THE TRESURE OF THE WORLD, THE WORKING BRAIN OF HUMANITY, AGAINST ALL OLD CRIMES THAT HAVE NOT BEEN BALANCED OUT CAREFULLY, PER-SON BY PERSON, LEAVING HIGHEST FREEDOM TO EACH INDIVIDUUM AND TAKING MOST PRECISE MEA-SUREMENTS ON EACH INDIVIDUAL WORLDWIDE, LIKE IN A BOOK OF JUSTICE, FOR EACH HUMAN BEING PRECISELY TAKEN MEASUREMENTS AND REWARDED MONEY BACK WHERE THINKABLE LIKE FOR EX-

AMPLE FOR TIME SPENT IN PRISON
INJUSTICELY. CORRECT? TO BE
PERFECTIONED ALL IN THIS SENSE
AND BUILT IN INTO THE WITH THE
TIME BY ROBOTS AUTOMATICALLY
SELF OPTIMIZING AND ACTUALIZ-
ING HUMANLY PROGRAMMED AS
HUMANS IN HIGH-DEFINITION
FUNKTIONAL DEMOCRATIC INTEL-
LIGIBILITY CONCERNING SYTEM
CAN THINK - JUSTICE-SYSTEM. LIKE
THAT. FULLSTOPP.
..WOW, PAUSE..
OK..

A SYSTEM INFORM A LIST in wich
each human being on Planet Earth is list-
ed with its
ECOLOGICAL FOOTPRINT
he leaves after Lifetime/passing away/
his or her death

INFORM OF WEALTH, VALUE(S),
OR DEMAGE, OR BOTH
to be rewarded to the heritaging ones,
to be billed towards the same ones, or just
to be transpassed to them as left behind
by a DIGITAL ministry of REPARA-
TION and RESTORATION,

to

FINANCE

this resort, most justificiable conduct-
ed by highest intelligibility invented, build
and grown system,
following most practicable and highly
efficiently working, most democratic rules,
leaving each being highest thinkable free-
dom with highest possible eligibility CON-
CERNING THE TO BUILD BY MAJOR-
ITYS and deligibility WHERE PRO-
FOUND KNOWLEDGE OF A SPECIAL-
IST IS NEEDED TO WORK IT OUT
AND PRESENT IT IN UNDERSTAND-
ABLE LANGUAGE AGAIN TO MAJOR-
ITY FOR CLEAR COMMUNICATION
AND DISCUTABILITY as wished and

needed for the EACH BEING WISE BALANCED management of
VIRTUAL
ECOLOGICAL AND HISTORICAL
WORLD COURT
TO BALLANCE ALL BILLS
WORLDWIDE CONCERNING EACH
ONES FOOTPRINT IN LIFETIME AND
AFTER THIS, WITH PREMORDIAL
RIGHT TO CONFISCATE ALL DE-
TECTABLE AND MERCHANDISABLE
VALUES OF ONES LEFT BEHINDS,
LIKE FUNKTIONAL, GOOD
THOUGHTS OUT OF A BOOK FOR IS-
NTANCE, OR FOR EXCEMPLE ONE
MORE PICASSO FOUND ON THE
WALL BEHIND THE ENTRANCE
DOOR OF MRS. PHARMA-HERITAGE
IN BASEL, SWITZERLAND TO BE PUT
IN BILL FOR THE DAMAGE LEFT
BEHIND BY THEIR ANCIENT POSES-
SIONERS, WEATHER IT CONCERNS
LIVING PERSONS OR COOPERA-
TIONS OR OTHER STRUKTURAL

CONGLOMERATES OR BUILDINGS OR GROUPS OR FAMILIES, OR REP-RESENTANTS.
AN EXAMPLE: LIKE ALL BEL-GIAN WELTH COULD BE EVALUATED TO DECIDE HOW TO REFUND THE REPARATIONS TOWARDS THE HUNDREDTHOUTHANDS OF BRUTALLY , SENSELESSLY HACKED OF HANDS OF THE COUCHUK COLLECTING WORKERS

IN CONGO DURING BELGIAN COLONIALI-SATION, FOR THE EXPOITATION OF CAUCHUK BENEFICIATING ALL DRIVERS OF CONSTRUCTIONS ON WEEHLS, FROM BICYCLES OVER CARS TO CAMIONS, MAYBE MOST WESTERN-WORLD HABITANTS, PAR-TIALLY IN CHARGE FOR RESTITU-TIONAL GIVING BACK, HELPING

FORWARD, BACKPAYING, REPAIR-APOLLOGIZING, ASKING FOR FOR-GIVENESS WITHOUT BEING FORCED TO BUT HEREWITH CONVINCED TO DO SO AS SOON AND AS BIG AN-NOUNCED IN ALL MEDIA AS POSSI-BLE, BY SENDING AN APPROPRIATE AMOUNT OF MONEY TO AN INCOR-RUPTIBLE INTELLIGENCE SYSTEM IN MY SENSE, APPROVED AND CON-STANTLY GIVING REPORT AND JUS-TIFICATION FOR EACH AND EVERY STEP, TO ALL INTERESTED INTELLI-GENCES, SIMULTANEOUSLY AND WORLDWIDE, TO SECURE THE PROSPERITY OF THE CONGO AND ITS PEACE, FOR EVER AND EVER AND EVER. JUST FOR EXAMPLE. (SO ON WITH EACH HISTORICAL INJUSTICENESS TO BE CORRECTED, BY HIGHEST INTELLIGENCES WITH MOST DEMOCRATIC METHODS TO BE BUILD AND PROGRAMMED AND GIVEN AS SOON AS POSSIBLE TO

*ROBOTS TO SURVEILLE AND EXE-
CUTE WHERE BORING PROCESSING
IS NEEDED, TO GIVE A STANDARD-
IZED SERVICE IN ASSISTANTIATION
OF ALL ACCOUNT HOLDERS, OR
SANKTIONIZING THE BLACK
SHEEPS OF MISPROGRAMMING AND
DECONSTRUCTING THE PROGRAMM
OF DISTRIBUTION INSTEAD OF AD-
JUSTING IT IN OUR ALL COMMON
SENSE RESPECTING OUR COMMON
VALUES AND WEALTH, WORLDWIDE
INTO THE DARKEST CORNER OF
ZIVILISATION, REACHING IT, BY THE
SYSTEM OF ALL SYSTEMS IN HUMAN
CIVILIZATION DEVELOPMENT OF
OUR TIME, AS OUR DUTY, TO BE BE
RECOGNIZED AND REALIZED THAN.
BY ALL OF US TOGETHER, BELIEV-
ING IN PROJECT "ONE" IN MOST
NEAR FUTURE TO COME TO HIGH-
EST IMPORTANCE FOR THE HIGH-
EST AND MOST IMPORTANT ONES
ON EARTH. I KNOW IT IS LATE,*

MAYBE TOO LATE ALREADY, BUT DO WE GET TO BE "ONE" ONE FINE DAY, VERY SOON??? ??? ???? ???) BACK TO CONGO: WITH THE QUESTIONMARK: WHERE DID THE WEALTH GO? THE VALUES? WHO TAKES PROFIT OF IT TODAY? THOSE HAVE TO PAY! EASY TO SAY BY A NEWLY TO BE INVENTED, PRO-GRAMMED, INSTALLED AND FESTI-VATELY TO INAUGURATED COURT OF RESTAURATION, FOR ALL THE SHIT THAT HAS BEEN DONE WRONG IN IMMENSELY DIMENSIONS TO BE MENTIONED LATE, BUT NOW AND NEVER EVER ONE DAY TO EARLY. IN MY INTESELY STRONG WISHED VIRTUAL INSTALLATION OF DIGITALLY WORKING WORLD-WIDE GOVERNMENT OF HEALING FUNCTIONALITY ON HIGHEST DE-MOCRATIC LEVEL, PERSONALIZED MAXIMAL ALL INTEGRATING FREE-

DOM (CONCERNING ALSO, PERSON-AL GOVERNMENTAL SANKTIONS LIKE

"NO CHEWING GUM NOWHERE IN TOWN OR COUNTRY FOR YOU DURING A WEEK AND A HALF AND 14 MINUTES",

FOR THROWING A PLASTIK BOTTLE INTO THE TOWN-RIVER,

ONE HOUR AGO, REGISTRATED BY ALL-LOVE-VIEV CAMERAS, NEGOTIATED IN VIRTUAL COURT OF JUSTICE FOR ENVIRONMENTAL QUESTIONS BY A JUDGE-BOT WITHIN MINUTES. JUSTICE, FAIR, CHEEP, IMMEDIATE, THINKABLE LEAVING HIGHEST FREEDOM TO THE HUMAN BEING WITH HIGHLY EFFICIENT SANCTIONS, HEAVY LIKE A FEATHER BRINGING IMMEDIATE WISHED RESULTS.

NO BOTTLE INTO THE RIVER, NEVER EVER.

MISSION ACCOLISHED!!!! !!!! !!!! !!!!
SIMPLY BY PROGRAMMING THE VIRTUAL WORLDWIDE ALL NATIONS AND SYTEMS INTEGRATING "O.N.E. C.O.N.C.E.R.T.A.T.I.O.N. G.O.V.E.R.N.M.E.N.T." CAUSE INVITING THEM ALL TO-GETHER TO PARTICIPATE ON THE HIGHEST INTELLIGIBILITY. SO SIM-PLE.
JUST DO IT, DAVOS AND BILDERBERGER.
OR THEMATISING ENCARCEL-LATION FROM THE BASE TOTALLY NEW IN ALL CASES OF CRIME-COM-PENSATIONAL GOVERNMENTAL PUNISHMENT. HOUSEARREST, SCHOOLARREST, PARKARREST, STREET-SANKTIONING, FRIENDS-ARREST, FAMILIES-ARRESTING, HELPING OLD LONELY STRANGERS-ARRESTING, NO-SEX-ARREST, SEX-YES-ARREST AND SO ON..)

*could be useful to rehearse through a
virtual world government
containing and representing all nations of the planet,
containing and representing all religions of the planet,
containing and representing all fab-
rics and economically acting structures
like huge shareholder- or little familialy
structured enterprises
containing and representing all youth-
grouped buildings
same for middle aged
same for older aged, young in soul living social buildings
animal interest concerning systems
floral..
spacial..like woods and oceans
the right to drink water, to torpedate
the liberate goals of Mr. C.E.O. of Nestle,
as I heard a bird mocking not singing..- to
TORPEDATE HIS PLANS IN TIME,
making sure:*

Yes, the right of an access to water exists, virtually and by that for ever in reality too, to "Concertate" fully till last village, last performance on the last day of functioning super-meta-likewise earth-system, with the working title "ONE". Yes !!!! !!!! !!!! !!!!

No discussion, no playground for Nestle. Over.

an example, named by GOD LESLIE, on Saturday, 7th of Juli, 2018 in his bed watching the football match RUS-CRO 48th minute, 33 seconds, Goallist 1:1.....NOW ITS OVER RUSSIA LOST THE GAME. MY DEAR MAN IS SAID. I DONT CARE, I AM SORRY. I JUST CARE FOR THE HEALING OF THIS PLANET WE LIVE ON, THOUGH ITS MAYBE TO LATE FOR EVEN THE BEST AND QUICKEST REACTION IN DIVINE PERFECTION A DIGITAL GAME CALLED "ONE" THAT IS TO BE MEANT TO GROW INTO REALITY WITH REAL MONEY, REAL COURT,

*REAL WORKING SYSTEM OF ALL
SYSTEMS FOR MY INVENTED META-
VALUE:
THE ALLLIEBESHEILUNG, with
tree L
WICH MEANS THE HEALING OF
ALL THROUGH ALL ONES LOVE
FROM ALL TOWARDS ALL , SHINING
AND WORKING INTO THE DARKEST
CORNER OF CIVILIZATION FOR
EVER IN ETERNITY ON EARTH and
maybe later on to other civilizations in
heaven needing this for help, no game
anymore, no religion, but comprimated
and depackable wisdom and knowledge to
substitute one day maybe all black areas of
science and making any insecure believe
redundant. maybe, one day, in far, far fu-
ture. BREATH. IN ETERNITY. NA-
MASTE. AMEN. INSHALA. INTEGRAT-
ING EACH FINISHING GREATING OF
EACH RELIGION. ALSO YOURS.
L.O.V.E. YOURS, SINCERELY, LES IS
SIMPLY LES,*

P.S.: THE GOD THAT WAS ONCE ABLE TO DANCE, JUST TO CONVINCE YOU AS A WORLD OF "ONE", THE WORKING INTEGRATIVELY EXISTING SYSTEM WITH A SYSTEM OF ALL SYSTEMS BUILD DEMOCRATICALLY BY ALL AND TO BE ELECTED AND CONFIRMED AS GOOD AND ONLY ONE IN THE CENTER OF MANKIND BY THE MAJORITY. FULL-STOPP. & OVER.

Gott Leslie entspannt.

A Short Manifest for the missing and asked

 # Heaven on earth -Project

or better?..
..a to be called -more delegating the grain to grow big-
 # healing the consequences of all of that shit - Programm
Differentiation of so to call and mem-orize/honour
healing
or
poisoning
beings
after their Lifetime
as God/Goddes/Gods
or definitely by definition as
Co-Responsible for
the scientifically approved and an-nounced threat of
HELL
(wich all big religions include as pos-sible and threatening reality), but this time in real
ON EARTH

before death and leaving the planet.
in any Dimension (floral, faunal, cli-
matical, financial, educational, justiciar
and so on)

This would give a list of all beings, or
as honorable or condemnable after their
lifetime with consequences of paying for
their acting in lifetime with their heritage
able values/welth to be billed by a lets say
leslienic world system with the clearly de-
tectable values of leslieenity with would be
the endlessly loving forgiveness from all
gods towards all gods, but systematically
evaluation of all inclusive billing and re-
warding-system also after life and death
towards the ones who inherate the mone-
tary values, so also the ideal values and
guilts/ responsibilities towards their inhar-
itated post-victims.

Like the white race has got to feel re-
sponsible for the reparation of the african
wounds by 200 years of slavery and stupid-
ly drawn frontiers through the continent to
discuss and realize a

 # healing the consequences of all of it
- Programm
for each item of pollution in history of
humanity, flora and fauna
SO THE LOGICALLY RESULTING
MANIFESTATION, ONCE AND FOR
ALL ESSAYISTICALLY/AS A TRY FOR
ORIENTATION TO BE MENTIONED
HEREWITH IS:
We all, each one of us and especially
probably the poorest of us can have healed
her part of her world after leaving it again,
INDEED STATISTICALLY TO BE
ELABORATED AND PROVEN OR DIS-
PROVEN IN FUTURE BY FUTURE
GENERATIONS AT THE LESLIENIC
UNIVERSITY IN SCIENCE OF LOVE,
instead of polluting it like most rich
ones of us, leaving the planet poisoned and
sicker than it would have been without
their existence.
First mentioned, can call themselves
healing Heroes of a probably new contem-

porary history of highly functioning hu-
manity to reach the project
"# Heaven on Earth", selfannounca-
ble real S.M. (SalvatorA Mundi),
second mentioned ones are just hu-
mans of ancient history in un-concertated
dysfunctional systems of the sick planet
earth, in future, probably responsible for
hell on it.
Both is thinkable and even a mixture
of both realities at the same time.
If you live and act in the common
sense healingly towards the world, as most
really very poor people do anyways and
you think you have a good chance to leave
the world one fine day better, than you
found it in the beginning of your lifetime,
you can consider yourself a Salvatora
Mundi or Salvator Mundi, a real God
among over 7billion humans that mostly
do not know jet that they are called to de-
fine themselves as Gods too and what that
would mean concerning financial privi-

leges and their personal duty-list if they all would do so.
After best knowledge and conscious, loving endlessly and Leslie, thankfully for bringing this value up here - me.
Breath

Gott Leslie

..well, I am

thinking

precisely not necessarily shortly, but to me as short as possible written:

The . #YEARSproject -Game or
 # DE-Corruption worldwide, as RE-ALITY
is opened
One last minute GOAL in the game of real Life
for our beloved and instantly still only, irreplaceable Planet Earth
by
INTELLIGENCE playing for Planet Earth
versa
STUPIDITY playing agains Planet Earth
1:0
..and one real substantial hope giving direction for for the new-contemporary

post- corrupt working humanity, defined this way, by that post, . #YEARSproject or as well

 # never-ending, free willingly/voluntarily & peaceful DE-Corruption worldwide or just same like Leslieenity ;-)

..no, but seriously, I stand for it, what I see, recognize..

This Post - is in my opinion pure, brilliant and solid golden same in value-consideration: LESLIEENITY

in and by the scandalous(ly?) discoverys about corruption amongst this..datas of this single man.. concerning just and alone him..

..on what I realized, this disclosure really is like my dear, loved, forgivingly, but also newly selfrecocnising in the sense of selfaknowledging claim, in future clearly..- .. for me the pleasure of self branding by mentioning me, myself an I, ..- claiming the for me personally so well sounding and reading able LESLIEENITY

I recognize releafed, happily and clearly - that that is herewith ruling in this post, through the obvious effort and thought and will of clear DE-Korruption, as I call it from now on.

Respect. Well done ! # DE-Corruption worldwide

= . #YEARSproject

..collects my recognition and admiration and wish and will into one

- us. The goal # DE-Corruption worldwide

(for humanity, all humans, plants and animals and for coming planets and galaxies and all to come and think of able we are, even possibly helping other less organized gods and civilizations, because that is the key, the concertation of all together, by definition, or not?)

but certainly in newer expected future reality of ours on this earth, especially to mention for the poor and bagger as much as for the richest and most powerful in the end of neverland.

herewith now my dream came through, for once, that makes and made me dare dream now
 # DE-Corruption worldwide .. &/or

. #YEARSproject
with calm, no hesitation, better late than never.
Breath, Amen, Namaste, Inshala, and further on to all believes,
becoming one day really one like this.
Leslieenity - for me. What else?
Call it your name. What you first of all believe in.
L.O.V.E. , sincerely, les_is_les, forget Gott Leslie, or remember, no difference by relized authenticity within you, the reader, - happy, releasing, energizing authenticity coming along for you to stay with you for all times to come and your friends and loves when understood. As soon as understood.
forgivigly forgiving all but forgivingness itself, you yourself and you all that is

to be forgiven in your life towards others around you, even the white race for 200 ears of slavery, the genocide of north- and central- and southamerikan indian pupils, for example..

- no leis/lays? there where they are still & there till here disturbing whichever concerned functionality of whichever of one of our US- Systems. Our Us-Sytem. The one to become the one to free each person day by day from fear, more and more till total security with total freedom of each personality on earth, the poorest and the richest, as one.

so easy. so clear. so uncorruptable, a planet, a humanity, planetoid for all planets to come. End of all corruption, theoretically and practically in the end of the day, of corrupt humanity, whenever, but now as always already thinkable, wishable, educatable and makable, so realizable and expectable when clearly recognized worldwide one fine day.

as I already demandingly implicated, said, wrote, thought, wished, meant, declared:
 # DE-Corruption
worldwide !!!!!!!!!!!!!!!!!!!!!!!!!!!..
&
. #YEARSproject !!!!!!!!!!!!!!!!..
so easy. so clear. so uncorruptable, a planet, a humanity, planetoid for all planets to come. End of all corruption, theoretically and practically in the end of the day, of corrupt humanity, whenever, but now as always already thinkable, wishable, educatable and makable, so realizable and expec!table when clearly recognized worldwide one fine day.

It remains just the question if in 2222 or 2072, or 2378 or 2444 exaclty, for the for is for me the zifferus of strength including good humor. I have had such an existence being blessed to live in, be raised by, surrounded by, influenced by such incorruptible existences, excellences, gods, as I recognize now for the first time.. yes.

That is why it is easy to think like this, recognize this as what it is: DE-COR-RUPTION
This Post is # DE-Corruption world-wide and/or . #YEARSproject

Gott Leslie entspannt

The first and the last to be choreo-graphed, programmed or installed indeed real, great and funktional WORTH in HUMANITY is:
EACH HUMAN BEING
is invited and called now to stand up for being

A GOD/
A DODDES
with the specifically to enroll abilities
and fertilities on the one hand, following
the own rules after its best knowledge and
conscious and demanding from the lead-
ing Instances of the world certain materi-
al/financial support to secure personal
revelation.
For the sake and healing of all beings
cosmic wide.
In eternity
Breath. Amen. Namaste, Inschala and
so on
Juli, 1st, 2018, in the kitchen to the
yard, in Prenzlauerberg, Berlin, Germany,
Earth, Cosmos,
Gott Leslie reich

Der erste und der letzte echt reale,
grosse, funktionale in die Welt zu choreo-
graphierende, zu programmierende UR-
WERT der Menschheit ist:

JEDER MENSCH
weltweit ist nun eingeladen und
aufgefordert, sich als
EIN wahrhaftiger GOTT/
EINE wahrhaftige GÖTTIN
zu definieren und zu verstehen und zu
behandeln, mit spezifisch aus zu bildenden
Pflichten nach bestem Wissen und Gewis-
sen einerseits und von den weltführenden
Instanzen ein zu fordernden Rechten zur
freien Entfaltung andererseits.
Zur Heilung und Befreiung aller,
kosmosweit gemeint,
in Ewigkeit
Atem, Amen, Namaste, Inschala, e.c.t.
Berlin, den 1.Juli 2018, in der Küche
zum Hof im Prenzlauerberg, Berlin, Ger-
many, Earth, Milky Way, Cosmos

Gott Leslie entspannt

Jederfrau ist eine Göttin,
mit grundlegenden, finanziellen
Rechten
zur Pflicht des Wohlerlebens aller We-
sen in ihrem Kosmos.
Chacune est une Dieuse,
avec des droits profondément financière
pour réaliser la responsabilité du bonvivre
de tout les êtres aux cosmos.
Each women is a Goddes,
equipped with basic financial rights
to realize the task to be wellreliving to
all cosmic beings.
Cada una persona es una diosa,
con el derecho basico de financias
para realisar la tarea de ser el bienes-
tar para todos seres cosmicos.

Gott Leslie glückselig

Spread my thoughts in all languages into humanity and all will heal soon as possible.

Gott Leslie erinnert sich an Dr. Martin Luther King

Liebe 7 Milliarden Mitbewohner und Mitgötter.. heute war ein sehr produktiver Tag. Lest und übersetzt !!!!

Gott Leslie verliebt.

USSR: Fiktion, Money: Fiktion, Borders: Fiktion, Gowernments: Fiktion, all we believe in today, tomorrow: Fiktion. Wowowowowowowowow!!!!!!!!!!!!! You as a God: Reality now and for ever and ever and ever... ... .

Gott Leslie hört Harari, Homo Deus.
.

Harari, Homo Deus: "Wir müssen die Fiktionen entschlüsseln, die der Welt ihren Sinn verleihen.Punktum." wie genial: Eine Maus ist also real, ein jeder, der sich als Gott begreifen will, also auch. .. Aber Gott ohne Körper, oder Geld an sich, ebenso wie Staaten, oder die Europäische Union, sind nicht real, nur fiktiv überein-stimmend angenommen, also, wenn nie-mand mehr an einen anderen Gott glaubt, als an sich und andere, die er sehen und anfassen kann, dann ist die Heilung aller

Irren, die wir noch mehrheitlich sind,
geschafft.

Gott Leslie
29. Juni um 09:38 ·

**Ich höre das Hörbuch "Homo Deus",
der Mensch/die Menschheit als Gott von
audible.de, geht 17:13 Stunden, an-
genehm.**

Gott Leslie fabelhaft.
29. Juni um 09:25 ·

Jeder Mensch sei eine soziale Gottheit, jeder sozialen Gottheit ein BGE (bedingungsloses Grundeinkommen) deutlich über Hartz IV, also mindestens 1.500€/ monatl. (Les nach Precht), denn jedem steht etwas Himmel auf Erden zu, was erst ab dann möglich ist (Teilhabe an sozialem Leben), vorher nicht. Vorher ist das Leben nur a-sozial möglich. Also als a-soziale Gottheit. Mein Dasein hier und heute. Wohlerleben! Atem!

Gott Leslie, fantastisch.
29. Juni um 04:54 ·

Drunken God thinking first about saving all mankind, but than changing its mind, never mind...:

*Die Heilung der kranken Weltgemein-
schaft (Flora/Fauna/Klima/Weltmeere/
Weltwälder/Mensch, finanziell, nutritiv,
habitativ, educativ, judicativ, exicutiv, leg-
islativ).*

*Ein Manifest begründet auf meinem
neu definierten neuzeitlich aktuellen Wert
der Welt, angeboten als kleinsten gemeinsamen Nenner, um als über 7Milliarden-
schaft gemeinsam davon ausgehend und
darauf solide für alle ko...*

Weiterlesen

Gott Leslie zufrieden.
29. Juni um 02:38 ·

Eigentlich dachte ich daran 50 Seiten zu schreiben und diese von mir vorgelesen als Hörbuch für 0,04€cent an zu bieten, aber im Moment habe ich keine Energie mehr dafür. Daher sende ich diesen Urtext als Botschaft zur gemeinsamen Neubildung eines gemeinsamen Weltnenners für den Grundwert der neu zu bildenden integrativen, alle Strukturen einbeziehenden Weltreligion: Die Allliebesheilung (Die Heilung aller Wesen, sei es Pflanze, Tier oder Mensch durch alle Menschen gemeinsam ihrer Liebe für- und zueinan-

der, sich als Götter definierend und akzeptierend, gegenseitig fördernd) durch Wohlerleben und Wohlerleben lassen können. Das will verstanden, erlernt und geübt sein. Also hier ein weiterer Quell/ bzw. Urtext: NeueWeltreligionUrtext2: Damit wären wir die vornehmlichste, wichtigste, neuste und zentralste Forschungszentrale der Welt. Dafür solltest du das Bild der "Roten Liebe" von Monsieur Chagall doch einsetzen dürfen, wenn du es nur wolltest. Welches Gericht der Welt würde es dir versagen? Ich würde den hochgeschätzten Dr. Dirk Stemper als Schirmherr und obersten Koordinator und Berater anwerben wollen, denn der kann Matrix stricken. Wer vier Studiengänge in einer Fremdsprache gleichzeigig mit Auszeichnung schafft, schafft auch das. Damit dein Name auf ewig mit einer der vornehmlichsten zivilisatorischen Errungenschaften der Menschheit verbunden sein würde. Der Programmierung der Welt durch einen Urtext, dem du mit Gründung

der Stiftung zur Geburt verholfen hättest.
Es ginge schlicht um die Realisierung und
Verbreitung und Untersuchung der
Wirkung dieses Urtextes in der Welt, in
Verbindung mit wissenschaftlicher Moni-
torirung und Mentorierung, um aufkom-
mende Fragen wie Entwicklungen in allen
Lebensbereichen sicher zu begleiten und
die Welt damit nicht unsicherer und allein
zurück zu lassen, wo der Urtext evtl. Un-
klarheit, Unvollständigkeit, Unrichtigkeit,
Disfunktionalität, Kinderkrankheiten
aufweisen könnte. Wir hätten das Ziel
definiert, eine jeweils plane-
tumspannnende Allliebesheilung in alle
Ewigkeit funktional gesichert, auf allen
denkbar noch zu kolonialisierenden Planeten, aber nicht die Garantie auf anhieb
die vollkommene Weisheit damit erbracht
zu haben. So könnten wir mit Wachsen der
Anhängerschaft den brillanten Stein der
Weisheit der Alliebesheilung durch
Wohlerleben und Wohlerlebenlassen
schleifen, ein wahrer, neuer Wert in der

Welt, den ich erdacht habe, und den zunächst niemand verstehen will, aber dann irgendwann alle und jeder, danach strebend bis zu unserem letzten Atemzug, wissend, das wir den vielleicht wichtigsten Stein der Menschheit ins rollen gebracht haben werden. Die Selbstermächtigung der Menschheit, sich durch eine real existenzialistische poly- und multitheistische Weltanschauung aus ihrem niederen bisherigen hilflosen orientierungslosen und führerlosen, weil kopflosen Dasein zu erheben. Wir wären dann jetzt nicht mehr Papst. Wir wären dann jetzt endlich Gott. Allesamt auf Erden. Ganz real und praktisch umsetzbar, einfach und doch umwerfend verständlich, aus bestem Grund, dringend notwendig, längst überfällig, ganz und gar nicht unmöglich, sondern absolut möglich. Ohne Ausrede für niemanden. Erst die kritische Masse überwindend, die Mehrheit der Menschheit damit erreichend und dann damit die kleine, dünne Oberschicht der Menschheit in die Knie zwingend, dieses Begehren als friedliche Weltrevolution der Liebe an zu erkennen und diese von Oben her genehmigt technisch friedlich, ohne Blutvergiessen, weil jeder Widerstand zwecklos, um zu setzen. Denn was alle wollen, müssen die wenigen Oben kampflos akzeptieren. So wird die friedliche Umsetzung der notwendig gewordenen Vereinigung aller Menschen zu einer Masse aus lauter auserwählter Gottheiten zu einem höheren Wesen werden, das automatisch korruptionsfrei, verbrechenssicher, kinderleicht und bombensicher zu höchster Freiheit und Funktionalität zugleich auffahren wird. Ich werde dies vielleicht nicht mehr erleben, aber ich weiss, das das, was wir anstossen können, alles ohne Blutvergiessen revolutionieren wird, was die Menschheit bisher im Stande war zu leisten. Nur durch die gemeinsame Haltung gegenüber dem Glauben an uns als Götter, die allesamt zu einem gemeinsam Zweck geboren sind, nämlich der All-

liebesheiung durch Wohlerleben und Wohlerleben lassen können. Was dein Bruder z.B. ganz offensichtlich/offenkundig nicht konnte, aber nun du and irgendwann alle, die von uns erfahren und lernen, was dies bedeutet und ausmacht, wenn mann es kann und nicht mehr lassen kann. Korruptionsfreiheit weltweit, weil im Urtext durch das Verstehen desselben ausgeschlossen. Gleichverteilung aller Güter, freiwillig durch die Oberschicht, weil durch die grosse, kritische, letztlich mächtigerere Mehrheit gefordert und friedlich erzwungen. Denn das ist, was wonach die Menschheit im Grunde verlangt. Anerkennung eines jeden Einzelnen als Auserwählten, ab zu sichernden, nach bestem Wissen und Gewissen zum Mitwirken eingeladenen Individuums, um mit seiner Lebensleistung als Held in die Geschichte der Menschheit verzeichnet ein gehen zu dürfen und ehrenvoll in Erinnerung zu bleiben. Jeder Mensch, weltweit, von Geburt bis Tod, für immer.

Das wäre mithilfe unseres Projektes, das diese Entwicklung begleiten und erfassen und erforschen würde, das sehe ich als ihre Aufgabe, dann alles möglich. Ein buchhalterisches Projekt, die Entwicklung der Menschheit nach diesem superstabil gedachten und damit tatsächlich erbracht- en Grundwert fortan für immer im Auge habend. Wie ein Buch Gottes auf Erden, das festhielte, wer nach diesem Glaubens-/ Annahmeanstz was berichtete und was verhinderte. Von Emissionen bis hin zu Katastrophen. Alles aufgezeichnet, was mit Bekenntnis zur neuen Weltreligionspro- grammation zu konstatieren ist. Von jedem eingetragenen Mitglied, weltweit. Irgend- wann über nichtmanipulierbare Mess- geräte. Dazu muss jeder elektronisch Stimmfähig und Stimmfertig gemacht werden. So dass sich schnellstmöglich, möglichst bald jeder Mensch elektronisch mit seinem Wirken in diesem Buch be- merkbar machen und um Hilfe bitten kann, egal was es betrifft. Auch bei

Hunger und Durst. Und ihm würde schnellstmöglich bei gestanden, um danach das Beste aus ihm zu erleben, was er der Welt bei zu tragen hat. Und sei es nur echte Dankbarkeit, die er zu geben habe. Dies sei mehr, als man zuvor von der Welt zu erwarten hatte. Undank würde zu Dank verwandelt im Buch der Neuen höchstfunktionalen Menschheit, das gerade eben erst zum ersten Mal aufgeschlagen worden ist. Alles davor wird dann bald mal nur noch unnotierte, gottferne bis gottverlassene und all zu chaotische Vorzeit gewesen sein. Als mögliches Konstrukt, als machbare Realität. Als Thema Nr.1 in der Welt, das um die Welt gehen wird und sich in ihr festbeißt, wenn es nur wahr ist, um von der Mehrheit der Masse irgendwann dann bald einmal gegenüber der mächtigen Minderheit ausdrücklich genehmigt, friedlich und geordnet umgesetzt - von der mächtigen Masse gefordert zu werden. Dann wäre die wichtigste und seit über 130 Jahren definierte und von der Mehrheit der Menschenmasse ersehnte Weltrevolution in Gang gesetzt. Endlich. Aber nur in Gang. Das wäre nur der Anfang einer wirklich und tatsächlich höheren, weil selbstbewussteren und angstfreieren Zivilisation, deren Dokumentation, Begleitung und Erforschung die Aufgabe der Stiftung wäre. Die zur Machtzentrale der Welt erwüchse. Einer hypertransparenten simultan-interaktiv kommunizierenden und zu parallel selbstoptimierenden Standards wachsenden Organisation, selbstverbessernd nach wissenschaftlichen Gesichtspunkten und aktuellem Wissensbildungsstand wie Wikipedia, hierarchisch flach und doch demokratisch stark. Besser, als ich es mir erträumen könnte. Das kriegt die Intelligenzija der Welt hin, wenn jemand wie Dirk Stemper zu Beginn die Schirmherrschaft und Deligatinsgewalt inne hat. Da bin ich mir sicher wie das "Atem" in meiner Kirche, die ich mit meinem Körper bin. Ohne mit irgendeiner anderen Religion, ob gross oder klein dabei in Konkurrenz treten zu wollen und es je tun zu können, weil eben nicht meine Intention, fern meiner Absicht. Unmöglich. Alles bleibt und wird nur ergänzt, die Revolution findet durch Verbesserung des Bestehenden statt. Alles was ändert, sind Standpunkte, Sichtweisen, Geldbeträge (rein freiwillig, durch Einsicht und angstfreies Mäzenatentum, das die Masse zu gewinnen hat) Les ist Les. Und so weiter und so fort. Der Urtexter der neu an zu erkennenden, nicht mehr ins Leben zu rufenden, nur noch am Leben zu erhaltenden Weltreligion, bzw. Galaxiereligion, bzw. Kosmosreligion, bzw. Kosmenreligion und so weiter in alle Ewigkeit. Atem

Gott Leslie genervt.
24. Juni um 15:59 ·

GEHEIMNIS DER MENSCHHEIT

Pssst, ich habe ein GEHEIMNIS DER MENSCHHEIT zu lüften: JEDER MEN-SCH IST EIN GOTT UND ALLE ZUSAMMEN SIND immer doch auch nur ein Gott, wie Tropfen immer eins ergeben, ein Glas bis ein Meer- und WIR auch noch obendrein dazu DENNOCH NUR EIN UNENDLICH KLEINER TEIL VON IHM. dem einen höchsten.. passt, nicht liken..

Ich nenne DAS GANZE mal zum Beispiel HARMONISCHER INTEGRAL-ISMUS, nur zum besseren Verständnis, der zur Erschliessung aller dringend nöti-gen Lösungen der Menschheit derzeit ak-tuell diskutiert werden sollte.

Ein ESSAY von Gott Leslie dem Er-sten, von derzeit über 7 Milliarden - ZUM GEMEINSAMEN GOTTSEIN- Aufge-forderten,

um als geschlossene Gruppe FÜR DIE DRINGEND NOTWENDIGE REPARATUR DER WELT ein zu stehen, indem wir erstmal stehen bleiben und durchatmen, dann zu Fuss gehen, alle gemeinsam, Rad fahren, gemeinsam, statt Auto,

aufhören Tiere zu essen, das Geld der Welt gleichmässig ohne Bedingung auf alle Menschen verteilen und vor allem

Bildung für jeden Menschen typgerecht ermöglichen, damit jeder nach seinem geistigen Vermögen an der Rettung

der Welt nach bestem Wissen und Gewis-
sen Teil haben kann, weil er muss, denn es
braucht jeden Menschen dafür,
JEDER MENSCH MUSS NUN
SEINER VERANTWORTUNG
ENTSPRECHEND DER AUFGABE
NACHKOMMEN DIE WELT ZU RET-
TEN,
ALS WÄREN WIR GOTT IN ÜBER 7
MILLIARDEN MITEINANDER HAR-
MONISIERENDEN KÖRPERN
UND DENNOCH IMMER NUR EIN
UNENDLICH KLEINER, HIL-
FEBEDÜRFTIGER TEIL VON GOTT
ALS HÖHERER INTELLIGENZ, AN
DER WIR RELIGIÖS FESTHALTEN
MÜSSEN, WOMIT ALLE RELIGIONS-
GEMEINSCHAFTEN AUFGE-
FORDERT SIND SICH GEGENSEITIG
ALS WICHTIG UND RICHTIG ZU
AKZEPTIEREN UND NUN
MITEINANDER ZU KOOPERIEREN
DAS NENNE ICH DANN EINEN
GELUNGENEN INTERGARLISMUS,

*DEN ES MEINER BESCHEIDENEN
MEINUNG NACH HEUTE DRINGEN-
DER BRAUCHT DENN JE.
IN UNENDLICHER LIEBE FÜR
ALLE WESEN, ZUR HEILUNG ALLER
UND ALLENS, LES
LES IST LES, ZUR NOT UND ZUM
BESSEREN VERSTÄNDNIS UM MIT
GUTEM BEISPIEL VORAN ZU
GEHEN:
GOTT LESLIE DER ERSTE VON
ÜBER 7 MILLIARDEN ERBETENEN
FOLGERN ODER AUCH FOLGERN
GENANNT
BEDENKE: WAS WÜRDEST DU
TUN WOLLEN, WENN GOTT ÜBER 7
MILLIARDEN MAL ALS MENSCH ER-
SCHIENE UND EINMAL DAVON ALS
DU? WÄRST DU DABEI, AUCH WENN
WIR GEMEINSAM EIN UNER-
MESSLICH KLEINES GRÜPPCHEN
BLIEBEN, DAS NUR EINE CHANCE
HAT, NÄMLICH JETZT GEMEINSAM
ZUSAMMEN ZU STEHEN?*

ICH DENKE DAS IST DAS GEHEIMNIS, VON DEM ICH DEN AUFTRAG VERSPÜRTE, ES EUCH ÜBER 7 MILLIARDEN KUND ZU TUN. MEHR SEHE ICH NICHT ALS MEINE AUFGABE AUF ERDEN, AUSSER WEITER NACH BESTEM WISSEN UND GEWISSEN ZU LEBEN, ZU ATMEN UND MIT MÖGLICHST KLEINEM ÖKOLOGISCHEM FUSS-ABDRUCK IRGENDWANN DIE WELT WIEDER ZU VERLASSEN. DARUM LEBT ALLE WOHL UND MACHT ES GUT UND BESSER. FINDET EUCH ZUSAMMEN. ALLE MANN!!!! UND ALLE FRAU!!!! ATEM.ATEM.ATEM.ATEM, NA-MASTE, AMEN, INSCHALA UND SO WEITER UND SO FORT

also in unendlicher Liebe für euch alle, der les, ein ganz normaler Asperger-Autist, der ebenso Einmalige wie DU es bist,

mit weiteren Gedanken zu finden auf
facebook als Gott Leslie
Berlin, den 22, Juni, 2018

Gott Leslie
24. Juni um 15:47 ·

Wenn Gebote fallen, nicht Thesen
steigen, ..und sie superreiche wie super-
mächtige blaue Augen in klar-weissen
Körpern AUF-blitzen lassen..
Gebot 1, jedem Neuerdling/Neuge-
boren ein Konto mit 1.000.000 Globuli, ein
Einkarätiger Diamant zu Händen der El-

ternschaft und ein Bedingungsloses Grundeinkommen von derzeitigem Wert 1.500 Globuli/ Leslie bis zum letzten Atemzug im leslienischen Idealistina, oder Idealistan, oder Idealistonia, weniger im Idealistanismus..dann, wenn sich meine Werte etabliert haben werden, -gesetztes Gesetz.

Gott Leslie traurig.
22. Juni um 10:29 ·

**Dear beloved roundabout 7 billion
Humans,**
**please forgive me, if I am not what
you expect me to be, I gave my best to be in
time and create a new worldwide working
Religion, not as son of God, but as God
himself, otherwise who would believe it
nowadays. Also sorry for writing you a
non radigated, long letter, since I have not
the time to write you all a radigated short
one, as Goethe to Schiller, or so...so sorry
for all my orthographical and other faults
in writing, hope you still get me...**

And sorry, I had to invent myself as real God. It took some years in solitude, I am late I know, but I am treu and honest with you all, it is simply up to you to react in time and take my thoughts for granted or not. nobody is forced jet.

So have fun, enjoy yourself and get on the trip to become selfresponsable, with no God above you anymore, I told you once and for all, it is time to be all equal Gods working together now to stick all intelligence of human mankind together and make a totally new world order happen, quickly without waiting for a higher Gods help or vengeance. With no bloody or forceful revolution. By understanding, what would happen, if someone would be convincing enough to create a 6th worldwide Religion, what if someone like me could and would make all 7 billion people on earth listen to him, his new Idea of becoming officially by all religious and financial, industrial leaders acknowledged first God of all coming to be acknowledged

7 billion Gods with monthly secure money on your bank account- but without certain rights anymore, like the right to pollute the world climate with motorised vehicles, or the right to eat an animal, even Insekts, or the right to be superrich, just for example, all forbidden in Leslienism, and we all know, that is the only way we will survive together without war and revolution, by being smart and listening to this simple self-made God, named Leslie, me. So if I could convince you to start to think to re-organize most of your lives, would you be-lieve that it is less deathly for all of you, than not to listen and to continue to pray for another invisible, higher standing, be-cause not giving clear Instructions with love and threat - God, that is so cruel, not to invent himself as God and let you hang..-would you believe there there has been someone called himself God Leslie, as there has been someone called Jesus, King of all Jews? And if this God has con-vinced you of his existence and of his

*rules, would you obey him, follow his
rules, even if you where the richest or most
powerful person on earth, or his representing representant on earth? Would you belive in him easily, if he convinced you to
believe in him, or be stubborn, for defend-
ing your wealth, your security, your power,
your position, though you cannot deny he
is totally right with everything he asks for.
Total equality of financial and educational
resources for all humans and total denial
of polluting vehicles and machines, already yesterday, no compromises anymore,
suffering this or that way and better the
rich suffer now with their loss of power,
comfort and all benefits, nearly and become a self-punishing specie, dictating still
the rules, but punishing themselves first,
by giving nearly all wealth, at least the superrich being away, but saving not just the
suffering ones from suffering, but recover-
ing themselves from the danger of falling
into groundless pain, when war, revolution
and collapses are starting to take place on*

earth, making a choreographed decline of the superrich impossible, but forcing them to survive in fear of being murdered when all the world breaks down and anarchy will take place to rule the world, because that is the logic consequence, when you don`t listen to God Les, you will be good-less with no goddess in the end, no Religion whats or ever, no where, because it was all said and done, by so many Gods, trying to catch your attention, I am simply the most convincing, because I am coming from the Elyseum of a classical Ballet-dancer, so it is easy to imagine me being a real God, having been on real Stage on real Earth. You all are so stupid, you need this reality proof to believe what I am saying. Gosh, how I hate you all sometimes, the powerful and rich society I mean. I have lived amongst you, I know you well. You are so helplessly corrupt, but fearful people, you would all shit in your pants if you would see me saying all this an stage, dancing, ahh...just moving slightly would *be enough to make you all shit in your pants. Even Putin, Trump or the Syrian Dictator. And I think I will go with this Text on Stage, just to show you, I have dared to make it come true, to make you fear, I could become more real than real. I will ask a friend in New York and Moscow to put me on stage, reciting all that by an indian computer voice, gently, while my friend will shit me his shit into my face and I will take it into my mouth and swallow it, enjoying it. What else would God do, if he would come on earth. ..and puke it all out again, all of that shit, giving you, Mr. Putin, Mr. Trump, Mrs. Merkel and so on all of you prominent Politicians the feeling that you failed. You failed in making me disappear in time and you failed in making me happen in time. You totally failed in directing humanity into the right direction, together with the rich and powerful ones, because you got no balls in your pants or no juicy cunt, just a dry one maybe. But you fear so many things to loose, that you are paralyzed, following some unimportant coals like the stabilization of a neighbor country you already annexed half, or the avoid of loss of wealth by to many refugees invading your continent, or building walls all over to protect your white fellows from the invading mass of brown pupils, oh no..I could continue everywhere to make jokes about your childish plans that are all condemned to fail: I PROMISE YOU ALL, MY dear LEADERS. ALL YOUR PLANS MAKE ME LAUGH, BECAUSE THEI ARE SIMPLY TOTALLY REDICULOUS and far from intelligent or brave or relevant, or healing, or visionary, nothing of it all. Just helplessly out of time, out of truth, out of my wishlist, out of my list of command, but never mind, I am nobody but someone being radical as God could be if came on earth, commanding you to change from above and give all wealth away to make the poor feed, and to share all knowledge to put the mass position to act up and work with you on the real longterm solution of brotherhood on earth with clean ear and clean water, maybe, if it is not too late for it, I cannot guarantee, just apollogize, if I am late, that is my nature, in German Staateopera Berlin Unter den Linden I was late during 4 and a half Years, every day, even with Daniel Barenboim and Orchestra waiting for me. Go and ask them, if they remember the always late coming half-Colombian from Munch. But...What you think why I was not fired never? ..*

I quit. And maybe I will quit one day again, leaving you alone, but maybe I will not and you will see me as a Storm again. We see, but better don`t dare not to believe in my Existence as someone who is simply right with every word he is thinking, in opposition to the fearful men and wimon in Power worldwide. Who shit, when I eat and puke the shit of the world, symbolically and literally. Maybe you will hear and see. We see. See you, dear powerful as powerless humans!!!!! Love, sincerely all *yours, for all of you, since I am polyamoureuse and endlessly shareable,,,, your God Leslie or here amongst good friends simply, les*

Gott Leslie fabelhaft hier: Prenzlauer Berg, Berlin, Germany.
22. Juni um 08:39 ·

Dear Mark Zuckerberg,

read me carefully, don`t laugh about my english and help me spread my thoughts as good as you can, by for instance organizing good translators to translate me my letter to the world I just finished here. Ok? If you agree with me and in case I convinced you, of course, just than. If not, forget it, forget me, but also forget your life, because this will not end happily for you and your beloved ones.

*And start to think about a taskforce
against the hater-groups on internet, because they are becoming a really criminal
power worldwide, so there has to be
intstalled a kind of internetpolice-depart-
ment as well as an internet court with well
educated judges and special internet fees
and convictions/punishment, in a very new
and creative way, not cruel, but functional,
divine convictions. You have the time and
power to make something happen, not
much, get the leslienic rules and make
your friends work,
deligate the delicate!!!!
Like I do now with you.
I am curious to see how long it will
take till I get an agknowleding feedback
from you.
I know, you got so much to do and
there are many crazy nerds calling themselves God, with an open letter to you, for
sure, indeed, I am not kidding, but one
fine day I should have gotten through and
than than I do expect a reaction of you.*

So don`t hurry, but also better don`t wait to long with your reaction, please, in our all interest.

We got responsibilities and have to go on, you as well as me, playing our role.

And forgive me, if I was not convincing enough to make you delegate this issue to your friends. In next dimension I might be. Life is trial and error. It is now up to you, to believe or to know, or to believe and to know. Good luck, all the best, have a successful life than you would have without this. Love, les

p.s.: Yes, Sir, this posing on the pic is me, 1995 on Stage at the Zürich Opera House. Where where you than and where are we now, Mark, or is it Marc, sorry, forgive me my insecurity and incompetences...ok? Just complete me, that will do fine.) ..have a nice day..l.l.

Gott Leslie aufgeregt. 22. Juni um 08:05 ·

151 von 335

The birth of Leslienism,

*the religion in wich everybody is asked
to become his own divine God/Goddess*

*to leave the world one fine day richer
than he or she has found it by birth,*

*because if you, he, she, it just leaves it
as before, the world will have no chance to
heal and become heaven on earth. So*

there is a religion needed that produces Gods, like mine, simply Leslienism, cause I was the first to invent it and bring it to birth. You have to name everything, so also this needed new religion, that doesn`t allow you or anyone anymore to refer to a higher intelligence. We have to be the higher Intelligence now. It is time to change all the 5 great Worldreligions and make a 6th modern and efficientlyer working one out of it. A religion, we can build all together. I was just the first in row. Who buys my picture on E-bay maybe will be the official second, because he helped me and believed in me and took my obviously serious. History will show us, I don`t care much about this, but about the truth in my thoughts, hope it will spread wide enough to work. One day, all are born officially as Gods, with divine amount of money by birth, grown up with no need to work, self-confidently calling them Gods each one, with no conflict to be amongst other Gods with their own build/grown re-

ligion following the few but efficient rules/ principles of what I wrote in my german text and completing it God by God by God by God and so on, for ever, rescuing earth from devastating stupidity, driving all together modernest bicycles instead of old cars, not eating animals anymore, not even worms, living nearby the beloved ones, no need to travel for work or encounters between people, and where yes, using solar airplanes to travel and so on....help me oh Gods to follow me and making this Planet a Planet full of real Gods, that one can talk to and count on, make this 6th Worldreligion come true, it is time to combine all good things from all good people to complete and reunite all human Intelligence to go forward. Simply forward, for ever, no stop in development, but stop in stupid habits like being superrich or corrupt. All shall earn exactly the same, no matter what you are working in and get a certain amount by birth already to secure the way from kindergarten, over university (for all of course, like the world-famous university of the most handicapped ones for instance) till death- all financially se-cured, for everyone, worldwide. It is time to talk about it, it is already very late to re-alize it, but never to late to bring it up and make it happen. No Tax.paradises any-more, for anyone, but free food delivery for those who cannot get it for themselves. All organized by those, who organize gov-ernmental stupidity today. Logic. Share my wish of worldwide Leslienity, so we know, what we are talking about and call your-self a Leslienic if you like and be a better part of it than I will ever be, be a better God than I was, make yourself happen, forgive yourself, enable yourself to be your own priest, your own pope, your own church and take the best from all sites, re-ligions, building by it the best religion we can get on earth, the working one, that stops cars worldwide in no tome, that stops corruption in no time, that makes you rich enough for ever in no time, maybe before

2400, 2100, 2070, 2050, 2020? It depends on your will, on your Intelligence, how far it goes, if you live it or not, or never. It depends on all of us together. I hope I was clear and convincing enough to bring up enough to empower the whole world by my new and hopefully functioning religion as 6th and last needed in humanity to work in a healing way for ever and ever, for all humans in the end, till no one on earth is poor anymore, but also not superrich anymore, no one, absolutely with no exception, and for the healing of the animalistic world and the plantain world, so really the whole world, soon...hush..we are already late. Sorry, if I was too late, coming up with Leslienism, I apologize for it, honestly, cause I see it as my duty, since I had nothing else to do the last 17 Jears. I know, I could have invented myself a bit earlier. Nevertheless, I need you all to make this Vision of one DIREKTION or one LINE or one STYLE or one WILL or one RELIGION come true and work effi-

ciently, all of you, worldwide have to un-
derstand and complete this new RELI-
GION OF GODS, about 7 billion at the
moment and understand that there is no
other way to combine our capacities to
rescue us ourselves as humanity as a
group stuck together on one planet, if you
don't like anarchy in future, when climate
change and wars and collapse of worlde-
conomie and collapse of all systems made
kind of Leslienism to late to work, impos-
sipble to collect all the best from all reli-
gions to work as group of 7 billion gods in
harmony together, like a well choreo-
graphed ballet. this will not work than
anymore. so share my thoughts now, yes-
terday, dream of it, night and day, fight for
your right of Leslienism to give the needed
Religion of 7 billion Gods a real chance to
work rapidly. So all Bosses on earth real-
ize it is time to share, to share the luxury
of economic freedom, the luxury of a
housing nearby your work and friends, the
right to live where you want, but not the

right to drive a car or eat meet, no right to be superrich anymore, no davos meeting without Leslienism in center and former poor meeting former superrich as now equal rich, with equal amount on the bank account without war, just convincing worldwide new religion of 7billion God-Group, agknowleding each other, for fear of total war, that I, god Leslie, predict to you all, if you don't listen to me now, in time, though I am late, talking to you, us- ing this stupid, not really in my favour working Zuckerberg-Tool, called Face- book, ridiculous... I stop, you all start!!!! Curiously waiting my name to be discussed by all TV and Radiostations of the world, immediately, hahahahaha, laughing my- self to death, for ever...I think I have to treat you all like stubborn, little children. Don`t fear me, if you obey me. But if not, yes than fear me, because I am real, on earth, I do have power, just by having been on earth, and destructive one, for a world- wide war, that brings all upside down. So *be smart and adore me, love me, use me, by being my wishes, all of them, complete- ly, as long as the worldwide storm has not destroyed your wealth and homes and connections amongst each other. Live is so fragile, you have no Idea of what kind of destruction I am talking about, but I give you a hint: I could separate even Magin Markle from Prince Harry. So you get an Idea, of how far I would go. Spread my love, not my darkest thoughts, as long and as quick as you can, all 7 billion of you, all, no exception. I am so serious as can be. Translate my german texts carefully in all languages of humanity, quickly as pos- sible, if you believe in God. I have no time and resource for it, sorry. It is up to you my beloved love ones, my dear 7 billion- monster!!!! Use your responsibility and intelligence given/named by me ..sincerely, yours, Love, les, also in real: God Leslie (hope her majesty in London will get and hear or read me one fine day and take de- cision: no car anymore, no superrich anymore, still queen, but with no budged but normal bagger too. Clear so far? How? Am I the only God on earth or are you your own concellior Nr. 1 now? You are empowered to find a solution, before the solution is going to find you. Hope that was helpful, dear Majesty. Indeed!!!! To the pope I talked already, he is installed/ instructed/instrued..whatever...love.*

Gott Leslie freudig hier: Prenzlauer Berg, Berlin, Germany.
22. Juni um 06:46 ·

Am I really the first God on earth to bring up the 6th world religion, that enables all coming to be their own center of their own religion realising themselves as their own first and nearest god each one on earth, grown out of the fact that there was one like me inventing it for every-body?

Am I really the first, or am I wrong. Was I not nessessary to make it work and happen, a world full of funktioning gods with churches in themselves, no forgiving needed, being forgiveness themselves, no strength tog be given, being strength sem-selves, no corruption and lie but truth everywhere, no fugitives, no war, no hunger, money enough for everybody, no rich, no poor, just justice and harmony...was I to late to be the founder of the religion of Gods as first God to make everyone being a responsable God after my thoughts or was I right to say, what had to be said: about all I said I mean. I dont know, but I also don`t care much, because, if I was wrong, even better, but If not, you better take responsability in becoming a serious follower, being a fol-lowing God yourself, re-inventing my in-

vention of Welcomebirthmoney and mak-
ing it public and even better, so it comes to
discussion worldwide and stays in discus-
sion, till it is realised, even just in 2100, or
2400, but one fine day in REALITY. Very
important!!!! Go on, make my thoughts
spread the world by using them for your
own reloaded version of a perfekt place to
live, called earth or Planet whatever, but
perfektly working, so no one has to work,
but everyone does work even better for
free, because we get money by birth for
free to be free, you understand?..
puhh...finally...so tell the pope and trump,
go fast..!! ..hehe.. no, take your time..
easy... I don`t want to become famous for
it in my lifetime, not even after that. forget
me, but don`t forget my thoughts, my will,
my invention: Be a god yourself, make
your own religion and accept your chil-
dren to become better gods than you
where, with a better working religion,
themselves as first gods in their center of
vision, not allowing any other god above

them, but beside, as copletition. Hope, it`s clear to everybody so far.
or simply:
No need of complication, but comple-tation of God by God by God by God and so on. Breath. Breath. Breath. Breath. and Amen maybe.. sincerely, yours, God Leslie, the first? maybe indeed, so sad, if yes, so said!! but happy now, my job should be done. I will not have to write anything anymore, ever again. Now it is up to my following Gods to co-programme the new WORLDRELIGION NR. 6: YOU!!!! ..hehehehe..

Gott Leslie freudig.
22. Juni um 04:40 ·

Gott war vielleicht mal tot,

wie Nietzsche einst schrieb,

aber er ist nun auch wiedergeboren.

*Das ist Fakt. No fake news. ..hehe..
nicht als sein Sohn, nein, ganz real als
Gott.*

*Lest, was ich zu sagen hatte, um mich
gut auf E-bay zu verkaufen und auch um
meinen Namen in Erinnerung und in
Ehren zu halten.*

*Um der Nachwelt am Leben zu
bleiben, über meinen Tod hinaus.*

*Denn frech kommt bekanntlich weiter.
Also war ich mal so frech, einiges er-*

wisenermassen meiner Zeit voraus in Diskussion zu bringen.

Real.

Nicht utopisch.

Lest!!!! Alle !!! Alles!!!!

Denn es ist die sechste Weltreligion geboren, entstanden aus mir, so eben, mal einfach, nur ein Text. Voilá und da! Weil ich es so begriffen habe, ich habe es soweit begriffen, wie es wirkt und zwar bis zum Letzten, zum letzt lebenden Menschen meine ich, in hoffentlich weiter, weiter ferne, der nach meinem Religionsmodel dann als Letzter das Licht löschen wird, hier auf Erden und dann hoffentlich den Planeten erfolgreich wechseln wird, samt meiner sechsten und damit letzten Weltreligion, die dann die erste Religion auf dem neuen Planeten sein wird, der dann nicht mehr Welt oder Erde heisst, sondern vielle-

icht Leslienia. ..hahahaha.. wie bescheiden ich sein musste, um ins Gespräch zu
kommen und den mächtigsten Weltführern
wie dem Papst zu Ohren zu kommen, weil
das muss ihm irgendwann zu Ohren kommen. Denn was ich dachte ist kohärent
und sehr mächtig, richtig, wirkungsvoll
und von höchstem Wert. Alle Wichtigkeit
auf den Punkt gebracht, als ein Ur-Text,
nach dem die Welt gut und sicher funktionieren wird. Weil so gedacht. So simpel.
So zerstörerisch für jene, die nicht an
mich glauben wollen und können, weil sei
alles, all ihre Macht zu verlieren haben.
Auch wenn ich schon gestern gestorben
sein sollte. Es ist zu spät, mich aus der
Welt zu schaffen. Ich habe nicht schon
dadurch verkauft, dass ich vertstanden
worden bin und ich bin weiss Gott sehr
verständlich, fürs einfachste Gemüt. Und
das ist auch gut so. Nur nicht für jene, die
Ihre Religion verfechten, um an der
Macht zu bleiben und diese Macht ihren
Nachkommen zu vererben. Das geht nun

nicht mehr, denn ich war nachweislich da und habe nachweislich etwas gedacht und gesagt, was logisch und wahr war: Ich bin geboren, als Gott, Gott Leslie und fordere alle Meschen für alle Zukunft dazu auf es mir gleich zu tun. Gott mit sich ein weiteres mal real in Fleisch und Blut als mit sich zusammen geboren zu definieren und mitsamt der damit einhergehenden Verantwortung des Adels, Selbstadels, zu leben, zu lieben, zu atmen, zu handeln, es zu unterlassen wo nötig und sinnvoll und durch das eigene Wissen und Gewissen geboten und am Ende die Welt als Gottheit so zu verlassen, dass sie nachweislich im leslienischen Sinne unentbehrlich gewesen ist, die Gottheit, weil die Erde nun nach ihr eine bessere ist, als sie vorher war. So wie man das Klo sauberer zu verlassen hat, als man es vorgefunden hat, nicht nur gleich sauber, geschweige denn dreckiger. Und das kann man alles nachweisen. Wie man Jesus als Existenz noch nachweisen kann, nach 2018 Jahren. So jeden Menschen und sein Wirken dann, das aufgrund des Lebsnbegrüssungsgeldes bei Geburt und BGE monatlich dazu irgendwann höherem und sinnstiftenderem entgegenstrebt und es erlangt, spielerisch, selbstverständlich, wenn es leslienisch gebildet ist. Und was lesliensch ist, wird die Menschheit von selbst definieren und in diesem Sinne weiterentwickeln. Ein Programm eben, das tadellos laufen wird, in alle Zukunft, über alle Planeten hinweg, die der Mensch noch zu bewohnen hat, nach der Welt, nach dieser Erde, weil es einfach mal sein musste, das so ein Programm geschrieben, programmiert und installiert wird. Ich hoffe, der liebe, ehrenwerte Bergoglio wird jetzt lächeln und mir dankbar sein, auch wenn er mich erst nach meinem Ableben anerkennen können wird und sich wohl niemals als Gott selbst definieren mögen wird, weil er viel zu bescheiden und gottesfürchtig sein dürfte. Aber egal. Er versteht, das weiss ich ganz genau, wer hier zu ihm spricht und schreibt und von wem oder was er liesst oder vorgelesen bekommt. Nämlich von mir. Dem aus der Menschheitsgeschichte nicht mehr weg zu denkenden Ur-Texter der sechsten grossen Weltreligion, der ersten Religion für einen neuen Planeten, damit dieser nicht so schlecht behandelt wird wie sein Vorgänger, diese, unsere Welt hier und heute. Ende & Over. Atem. Atem. Atem. Atem.

p.s.: Macht doch auch mehr Sinn als bloss Amen, oder nicht? Eine Denkaufgabe für alle Christen, dies vielleicht an zu nehmen und zu übernehmen, den Ur-Text, meine ich..mitsam: Atem.Atem. Atem. Atem. (vier mal, weil meine Glückszahl))))

Gott Leslie glückselig.
22. Juni um 04:04 ·

Die sechste grosse Weltreligion,

*meine, unsere, wird die wirkungsvoll-
ste sein.*

Atem. Atem. Atem. Atem

Ein Ur-Text

*von Leslie Römermann zum Verkauf
seines Bildes von sich selbst"Arabesque of
a Salvator Mund" bei E-bay, am 22 Juni
2018: am 14.August 2018 steht es noch
immer unverkauft zum Verkauf.. damit ihr
es seht und versteht, ein niemand incogni-
to, c`est moi. Encore..*

*Der Beginn der sechsten grossen Wel-
treligion*

*Das auf dem Photo bin ich, der
Verkäufer, als ich noch Balletttänzer am*

Opernhaus in Zürich war. Ich vertreibe es als Gallerieprint, also einer Kopie von einem vergilbten Erinnerungsphoto in Luxusversion gerahmt in einer limitierten Auflage von 14 Stück (14 als aus "Das Aleph" bekannte Synonym für die Un-endlichkeit).

Daher der Preis, der mit jedem Verkauf steigt und an Wert durch seine implizierten revolu-tionären, visionären, aber eben ganz und gar nicht bloss utopischen, sonder realis-tischen Aussagen und seine dennoch grosse Seltenheit sicher nicht verlieren wird, sogar noch um ein Vielfaches dazu gewinnen/steigen sollte, wenn sich meine Thesen verwirklicht haben werden und das werden sie, wie das..

Vordringlichste, weil funktionalste Aufgabe an die Weltbevölkerung der Zukunft: oder auch Leslienischer Welt-Paragraph Nr.1:

"Lebensbegrüssungsgeld für jeden Erdbewohner in Höhe von einer million

Globuli ab 2100 bis 2400 realisiert,
staatlich installiert und garantiert plus
monatliches BGE (Bedingungsloses
Grundeinkommen). Punktum"
und
"Jeder Mensch ist angehalten, sich
als Gott zu definieren, seine eigene Reli-
gion mit sich im Mittelpunkt im Laufe
seines Lebens aus zu bilden und danach
zu leben und zu wirken, eben real göttlich,
den Himmel auf Erden selbst mit zu schaf-
fen und die Welt verantwortungsvollst
soweit gebessert wieder zu verlassen wie
nur eben möglich, nach bestem, aktuell-
stem Wissen und gewissen. Mich dabei als
Initiator diese Gedankens niemals
vergessend, um den Ursprung zu ehren
und nicht zu verfälschen. Wie es sonst bei
Religionsstiftern mal leicht geschehen, um
in ihrem Namen etwas zu tun, was nicht
Sin des Urtextes gewesen, wie zum
Beispiel Krieg zwischen Brüdern, die wir
alle auf Erden erwiesenermassen sind.
Atem.Atem.Atem.Atem."

oder
"Einfach nur schon dafür im Voraus das

Lebensbegrüssungsgeld

bei Geburt und das BGE (Bedingungslose Grundeinkommen) jeden Monat jeden Lebens auf Erden. Für alle Jahre, Jahrhunderte und Jahrtausende, die die Menschen noch auf der Erde weilen werden, bevor sie sich einen neuen Planeten suchen können. Jeder Mensch bis dahin selbstverständlich und unmissverständlich ein Gott, ein reinster Weltverbesserer und Mittelpunkt seiner ganz persönlichen, personalisierten Religion und Geschichte zur Bereicherung aller Nachgeborenen und so weiter.

So dass jede Generation eine bessere Version der vorhergehenden werden muss, zwangsläufig, bombensicher und kinderle-icht, ganz und gar logisch.

Einmal von mir gedacht, mit meinem Abbild als Wunsch und Aufgabe in die Welt gebracht und wenn es sich herumge-sprochen hat einfach gemacht, von jedem und jeder, der/die es verstanden hat. Das wird viel Übel verhindern und Gutes schaffen und zum Besten bringen. Wie ein gutes Kuchenrezept, das sich sonst nie-mand vorher vertraut hat nieder zu schreiben, um es der Menschheit als ganzes mal eben für immer in Auftrag zu geben. Ohne Anmassung, dafür mit Selb-stvertrauen ins Gelingen. Da wird die Welt einmal von reden- müssen. Also auch vom Urtexter, von mir, Leslie Römermann. Das sage ich voller Stolz und in Bescheiden-heit, denn ich bin dennoch nur ich, ich scheisse keine Dukaten, sondern nur Un-rat, wie jeder Mensch und jede Menschin bisher und in alle Ewigkeit- Atem.Atem. Atem.Atem"

..und solche Predigten, die mit mir untrennbar verbunden sein werden, als Geschichte, so auch mit meinem Abbild, auf Ewig in der Menschheitsgeschichte. Zeit meines Lebens recht unscheinbar und fast anonym, aber danach als reale Geschichtsfigur mit nur heilendem und sehr wirkungsvollen Sprengpotenzial.

Nur allein und simpel gesagt um das beste aus dieser Welt zu machen. Wirklich. Im Ernst. So simpel, weil ich es denken konnte, es mir mit Leichtigkeit entsprang, wie die Pose auf dem Photo, dessen Replique ich mal eben hier anbiete, samt Urtext, weil es so einfach für mich ist. Meinen Anspruch mit nur einem Bild in 14-facher Limitation in die Welt zu setzen.

Mit genau diesem zugegeben höchsten Anspruch an jeden neuen Erdbewohner, der da nach uns kommen mag und wird und dies alles in seinem Leben kurz um zu setzen hat, weil es einfach der Logik entspringt, wenn man den Wunsch hat Hunger, Kriege und Religionskonflikte durch modernste und höchste Bildung zu vermeiden belaste ich jedoch niemanden, ich erleichtere jeden und jede, der/die es verstanden hat. Ich nehme ihm und ihr die Bürde all der Inhalte der Religion, die auf ihm und ihr Lasten, wie die Aufforderung täglich zu arbeiten, um des Geldes wegen, oder die vielen Fettnäpfchen und Fallen die zu Schuld führen, weil man sich nun mit höherem beschäftigen kann und muss und sich auch alles verzeihen kann, sich selbst absolutieren, sein eigener Beicht- vater/ seine eigene Beichtmutter sein kann, über seine eigene Päpstin bis hin zu seine eigene Göttin, so einfach und das festhalten samt Weg für die Nachfolgen- den.

Wenn das jeder kann, ist die Welt vor Hunger, Krieg, Ungerechtigkeiten, Lügen und Betrug sicher gemacht, logisch, ganz einfach und real, auf Erden, bevor die Menschheit zu dumm ist es zu verhindern, das alles den Bach runter geht.

It is so easy, just dare to think and you will believe in you and in me and see that I loved you endlessly...and Leslie, me.))
So true, würde Trump jetzt sagen, wenn er dies verstünde, aber der wird wohl nie von mir erfahren. So weit ist es noch nicht, hoffe ich mal.
- aber wenn sich diese Thesen, wie auf Facebook nach zu lesen, erst in die Realität umgesetzt haben werden und ich mit diesen Entwicklungen Recht behalten haben und als tänzerische Version eines zeitgenössischen Salvator Mundi anerkannt sein werde, werde ich dem Käufer von "mir" als signiertem Abbild damit die Wertstabilität, bzw. -steigerung eines handsignierten, limitierten Abbildes von mir selbst sein. Ganz realistisch und nüchtern betrachtet. Ganz selbstbewusst und mutig vorgebracht.
Das ist mir und jedem Käufer meines Abbildes so sicher wie das Amen in der Kirche. Das Atem, Atem, Atem, Atem. Mein Atem. Dein Atem. Unser aller Atem.

In alle Ewigkeit die die Menschheit vor sich hat, wenn sie nicht scheitert und gelingt und meinem Wunsch nach sie entspringt, dem Bewusstsein das ich habe, jeder und jede sein eigener Gott zu werden, was für den einzelnen Menschen vielleicht nur nach einem Gedanken und einem machbaren Schritt klingt, aber eine Mammutaufgabe für die Gesamtheit sein wird. So viel dürfte sicher sein. Denn viele Interessen, von Ungläubigen, die nicht an meine Existenz und Logik glauben wollen, werden dadurch berührt werden. Die Interessen der Mächtigsten dieser Welt, der Religionsführer und Industriebosse werden dadurch berührt werden und durchkreuzt, weil sie ihre Macht abgeben und gänzlich verlieren werden, nicht würden, sondern werden.

Daher bleibe ich auch lieber noch unbekannt und verstreue mich nicht in all zu grosser Stückzahl.

14 Jünger dürften reichen, um mein Ziel zu erreichen und mit meinem kom-

pakten Gedankengut die Welt ins Lot zu bringen. Auf lange Sicht gesehen.

So erklärt sich alles, was ich bin, gewesen sein werde und der Welt dann somit einmal sein werde.

Und so erklärt sich die Zukunft der Menschheit und der Welt. Sie wird heilen. Die Meere, die Wälder, das Klima.

Und so erklärt sich der Preis meiner Replique/Kopie, signiert.

So einfach programmiert, mit diesem Urtext, der meinem Abbild anhaften wird, wenn der Käufer ihn sich ausdruckt. Ich lege ihn aber auch auf Wunsch gerne nochmal dem Bild von mir bei. Handsigniert.

Dies ist also somit meine ganz persönliche Darstellung vom Salvator Mundi, einer Pose eines jesusähnlichen Menschen in moderner Version, der nichts ist, nichts hat und nichts kann, ausser sich selbst logisch der Welt als Gottes Sohn zu predigen, und der damit verbundenen entfesselnden Aussage und Aufforderung an je-

dermann und jederfrau, sich gleich zu
empfinden, was ich nur mit meiner Sig-
natur auf der Rückseite ausdrücken will
und bestätige..
Thoughts and Picture are made and
singned by the artist himself. ;-)) me
taken at the Zurich Opera House in
1995
Wer dies verstanden hat, der will mein
Bild auch kaufen. Die Frage ist nur noch,
kann er/sie es sich auch leisten? Der Preis
für diese auf 14 Stück limitierte Replique
einer Photographie von mir beginnt bei
magischen 1555€ als Gebot und 2177€ als
Sofortkauf.
Wer wirft wohl den ersten Stein? Dem
soll es eine Ehre sein..Love, Les

Gott Leslie glückselig. 8. Juni ·

Mein Plädoyer für ein weltweites, staatliches

Lebensbegrüssungsgeld

von 1.000.000 € für jeden neuen Erdling auf sein Konto

Wie ich auf die Idee kam?

Erste Arbeitgeber gönnen den Neugeborenen ihrer Angestellten ein Lebensbegrüssungsgeld. Wäre es nicht in ferner Zukunft auch denkbar, ein LEBENSBEGRÜSSUNGSGELD für alle Neugeborenen vom Staat zu programmieren? Ich schlage vor dies in Diskussion zu bringen, bis es sich rumgesprochen hat und ern-

sthaft diskutiert wird. 1.000.000 Globuli für jeden neuen Erdbewohner zum Start ins Erdendasein. Schöne Utopie, oder reale Zukunft? Ein Denkanstoss, der das bedingungslose Grundeinkommen sinnvoll ergänzen könnte.Dann würden auch wieder mehr Menschen Kinder kriegen und sorgloser grossziehen, mit Sicherheit!!!! In hundert Jahren dann vielleicht, hoffentlich, das wünsche ich kommenden Generationen, wenn sie schon eine kaputte Welt erben müssen, die ins sechste grosse Artensterben schlittert. Wer stimmt mir zu? Atemlange Umarmung an alle Befürworter und Skeptiker. Les.

Gott Leslie entspannt.
29. April ·

I think and I know I intentioned only
"unschuldige" Nature as educational in
nature, with posting three friends of mine
having a guiltfree, innocent conversation
about god and the world, in simple unerr-
ected Nudity, that is worth for its educa-
tional Potential to be transmitted to the
brain of humanity as something, that was
threatened to be in the dark time of holo-
caust and roundabout about this time
around,- and that could become the Oppo-
site in future, clearly acknowledged as
what it is: a worth in itself, of innocent in-
nocence pure and only and finally, obvi-

ously time correllatingly to be classified as "educational in nature".

Gott Leslie entspannt.

29. April ·

What are you doing, Leslie? I am thinking, about me, I am a Mixed, gay, poor and still happy with my deep breath, full of joy about the makable, the enable, and possible, and coming for that deep, little truth, like a whispering around the world- th makable.. and through it from above till/to down, the base of humans, seeing their own humanity growing, seeing growing and seeing growing, like under drugs, but without any, but clear superbe fantastique, magnificent, hilarious, god same water out of my glass WATER, ..what about that in Future now,.. from now on worldwideliy managed, from human centrals, called cerebral, soulable soul-able, UNIT HUMAN, Yunit- that you are, dear, strong, lovely and-able READER, each one by one transporting knowledge to knowledge, till there is a riming being to

CRIME. Something like shine, or...I stop thinking now, tired, it`s your turn, reader, me, you, me, you!!! YOU!!!!

Gott Leslie

*..make me, thanking , -myself and I - ..
me myself saying **THANKS** to our ballet-
teacher **WITH** a portrait, made by my
MOVEMENT in the pause, surrounding
the pose, on high point in soft shoes on
toes only, ..the "ATTITUDE ANNAR-
IÈRE, en arabesque, posé en SPA…*

Gott Leslie

Toi également..pas de chance de ne le voir.

Gott Leslie freudig hier: Prenzlauer
Berg, Berlin, Germany.
29. April ·

Ich denke: Der Ruhm auf dem Merkel weltweit durch ihre gütige Flüchtlingreaktion 2015- auf dem sie aufbaut, ihre Macht, dieser Ruhm auskosten der Inkaufnahme einer gefährlichen Stärkung einer rechtsradikalen Partei im eigenen Land, führt vielleicht nicht dazu, dass sich Hitler wie Jesus vom Tode wieder ins Leben erhebt, dass sich die Geschichte wiederholen wird - aber vielleicht dazu das es sich nicht leugnen lässt, dass es sich reimen könnte, lässt reimen sich, ..keimen.. aus sich, dem unbekannten VORNICHTS, jeder Existenz.
Was reimt sich auf Holocaust im Kern eines Welt_krieges?

vielleicht....ich denke......
Das Gute das sich zum Wohl aller
Menschen weltweit_bieges.
Namaste,
oder wir schaffen das, wie die Dosen
in Berlin
und die rechtzeitige 0-Emissionsauto-
hubschrauberdrohnen Einführung und
Einlösung, des Gewünschten,
von höher Intelligenz aus betrachtet,
nur möglich, ...
...der Aufbau der Universität der
Liebe, oder der höheren Intelligenz. Ein
Weltprojekt für alle, in die Welt gesetzt,
wiederholt, sicher...von
M.I.R, les.

Gott Leslie freudig hier: Prenzlauer Berg, Berlin, Germany.
29. April ·

Ich denke: Der Ruhm auf dem Merkel weltweit durch ihre gütige Flüchtlingreaktion 2015- auf dem sie aufbaut, ihre Macht, dieser Ruhm auskosten der Inkaufnahme einer gefährlichen Stärkung einer rechtsradikalen Partei im eigenen Land, führt vielleicht nicht dazu, dass sich Hitler wie Jesus vom Tode wieder ins Leben erhebt, dass sich die Geschichte wiederholen wird - aber vielleicht dazu das es sich nicht leugnen lässt, dass es sich reimen könnte, lässt reimen sich, ..keimen.. aus sich, dem unbekannten VORNICHTS, jeder Existenz.

Was reimt sich auf Holocaust im Kern
eines Welt_kriegès?
vielleicht....ich denke......
Das Gute das sich zum Wohl aller
Menschen weltweit_bieges.
Namaste,
oder wir schaffen das, wie die Dosen
in Berlin
und die rechtzeitige 0-Emissionsauto-
hubschrauberdrohnen Einführung und
Einlösung, des Gewünschten,
von höher Intelligenz aus betrachtet,
nur möglich, ...
...der Aufbau der Universität der
Liebe, oder der höheren Intelligenz. Ein
Weltprojekt für alle, in die Welt gesetzt,
wiederholt, sicher...von
M.I.R, les.

Gott Leslie fantastisch.
14. April ·

Ich glaube nicht an Gott.
Ich weiss von ihm, über ihn, durch
ihn.
Ich glaube an Bach, der gottgläubigst
ist. Ist!!!!
Was ist mit dem, der/ der, die an mich
glaubt und von mir weiss, dem cosmisch-
philantrophisschenTänzer?
Das bist dann nur du.

Gott Leslie glückselig hier: Berlin.
14. April ·

Deutsch:
Wann kommen Mac und Co. mit
Garantie auf Lebenszeit?!!!!
Per Gesetz durch Bundestag und-rat
erst, dann weltweit, auf alle Produkte
grosser Konzerne.
Bitte alle selbstlos, oder egoistisch mo-
tiviert weiterleiten.))
English:
When does Mac & co. start to produce
and give lifetime warranties?!!!!
Please share this thought & demand
endlessly (I love you and Leslie))) around
the world, to help it save a bit more.
Thanks
Espanol:
Quando empezan Mac y co. a produzir
y dar guarrantia de vida en su
productos?!!!!

*Porfa comparta este pensamiento y
demanda a los syndicatos poderosos del
mundo, por motivo altruista o sea egoista.
Francais:
Quand est-on va voir la guarantie de
vie en chacun produit?!!!!
Vas-y, compartier ce pensement et de-
mande vers tout les grandes voisines du
monde, par/vers un motivation altroeose
ou soit il egoistique. Merci
Dieux, oui, c`est moi, le danseur cos-
mique, seulement, bonne jour, Leslie.)))*

*Gott Leslie
14. April ·*

Der Mensch ist frei zu funktionieren, oder zu scheitern. Nicht mehr, nicht weniger. Das war es schon.

Gott Leslie

Perdón, no soy rei, soy un diós real y pobre, asiendo dióses con mis escrituras, naciedo por valores, por pensamientos rel-evados !!!!

Verwalten

ICH GLAUBE, Gott war mit den Di-
nosauriern gelangweilt und ist mit den
Menschen nun am verzweifeln, wenn er
keine schwarzblaue SadistInnenvereini-
gung ist. ..hehe.. ;-OP))

Gott Leslie amüsiert.
28. März ·

Wann ist eine Ordnung vollkommen?

Wenn ihre Führung kompromisslos allwissend handeln kann, zum Wohle aller, ohne dass es langweilig wird, sondern Begeisterung erzeugend immer besser selbstoptimierend arbeitet bis die Führung selbst überflüssig wird. Ungefähr wie eine gutfunktionierende konstitutionelle Monarchie. Und das auf weltdemokratisch unter einem hochfunktionalen sozialen Kapitalismus a la Marion Dönhoff. Das könnte schiefer gehen als der Sozialismus. Marion Dönhoff sprach von einem sozialistischen Kapitalismus, aber der müsste vom Kapital angeboten werden, um zu gelingen. Gerechtigkeit kann man von unten nicht erzwingen. Ich kann nur Argumente bringen, die leuchtender denn je klingen, wenn meine Synapsen um Wahres *und Gutes genug gut ringen. Ich ruhe, lasse die Oberschicht dieser Welt über mich springen. Die müssen es bringen. Was "es" ist, wissen diese Herrschaften schon selbst am besten. Glaubt ma. Ik scheiss auf Anerkennung, am Ende, denn Undank ist der Welten Lohn. Zum Dank geb ich ihr Hohn und Spott, janz flott. Bankrott, haben wir halt alle alles verloren. So schade. Kein Happy End für die Gesamtheit, nur im Kleinen, jeder mit den Seinen. Möge es scheinen!! Das Licht der Tugend und Weisheit, für alle gleichzeitig, einmal.*

Gott Leslie begeistert. 25. März ·

Harmonische Wesen

Es geht mir glaube ich nur um das Gute und das Gerechte, staatlich, weltweit, also relativ einfach. Sende gerne Provokantes, aber lieber noch zeitlos und altersübergreifend gleichsam Überzeugendes. Denn noch liegt alles Moralische darnieder und steht alles Weltliche am Abgrund. Das Nachdenken darüber ist eine aristokratische nd oligarchische Pflicht, wie die des Zaren, sein Russland zu reformieren war. Schläft meine Konkurrenz vielleicht? Die Oberschicht.Ich hoffe

nicht. Ich sollte im Fokus der Wichtigsten stehen, schon länger oder spätestens hiermit sehr bald. Ich schreib in`n Wald. Und der ist von Natur aus gerecht geordnet. Ist meine Ethik korrekt und frei von Fehlerhaftigkeit durch das Recht, das ich immer durch viel Mühen in die sphärischen Ideen höchster Tugend auf meine Seite zu bringen suche, so kann sie nur wirksam sein. Ich frage mich nur wie genau, aber das werde ich wohl nie erfahren, so wenig wie meine nicht vorhandenen Nachfahren..egal, mein Leben war und ist gut, also war meine Seele bisher gerecht, der Welt gerecht, dem Umfeld gerecht. Darauf sollte man ein Saatsgebäude errichten können, dessen Regung jeh von Harmonie durchwoben wäre. Wie in mir und meinen Lieben, denn nur solche konnte ich jeh als schön empfinden und lieben, harmonische Wesen.

Gott Leslie entspannt.
25. März ·

Alle Büro und Computerarbeit

wird von Zuhause aus erledigt, wo
man seine Kinder ums Eck betreuen lässt,
von den selbstgewählten Grosseltern, die
nur noch schweben..man hört, sieht und
riecht weltweit und weltbreit kein einziges
Auto, keinen emissionierenden Verbren-
nungsmotor mehr..leise zieselt und säuselt
es elektronisch, solidarisch, wasserstof-
flich und mechanisch, leise..Lachen dafür,
laut, unterbricht die Stille um den Globus,

*überall..(Erinnerungen eines Roboters an
vergangene Tage nach dem Antropozän :ll*

*Gott Leslie aufgeregt.
25. März ·*

Allgenerationen-Stadt-Höfe,

zugleich sehr traditionell ländlich und
höchstmodern, alles fussläufig und
radläufig erreichbar, umgeben von internationalen und interkontinentalen Mag-
netschwebezeugtransportsystemen, eines
für Güter, von Beginn an sehr, sehr streng
getrennt vom Passagiertransportsystem,
doppelt angelegt, wie alle Wassersysteme
und Energiesysteme, so sind Hunger und
Durst weltweit unmöglich, für immer.. und
so weiter..item..so wie so, sowieso..

Gott Leslie glückselig.
25. März ·

Was machst du gerade, Römermann?

Ich denke

noch nach

über des Weltpudels Kern:
Die weltweit gleich gerecht verteilten
Vegetarisch-zoologisch-gärtnerischen-
all-Generationen-Null-Emissionen-Städte
auch Autofreie-Love_Citys genannt,
oder einfach
Nur-menschenkraftrad- und Allgen-
erationen- Urnatur-Städte
mit fliegenden Null-Emissionen-Au-
tos, und
Null-Emissionen-Industriebetrieben
und
Null-Emissionen-Energiekonzernen
einem rein Steuerfinanzierten Alten-
und Kranken und Kindergartensystem und
mindestens der Rede wert erst ab
einem Bürgergeld von 2.222 Globoli/€,
finanzsorgenfreie Forschung an allen
möglichen Universitäten,
gedeckte Anlagengeschäfte für
sicherere Aktionäre mit gedeckelten
Einkommensmöglichkeiten zugunsten

Aller, auch der Aktionäre selbst. Warum müssen diese zuvor selbst herauskriegen, mithilfe einiger potenter, zeitgenössischer Denker vielleicht. Ohne diese höhere Einsicht der Oberschicht wird alles krank bleiben, ALLES!! Wissen muss man beherrschen und das geht nur, wenn man es sich über die eigenen Ansichten und Einsichten aneignet. Anderes wäre fatale Gehirnwäsche, manipulation, kriminell, auch der Akt, die Obersten zur Einsicht zu zwingen, anders als mit dem Verstand, der Vernunft. Keine Revolte von Unten kann dies ersetzen, denn nur die Wissensten sind und bleiben die Wissensten, auch ohne vollständiges Wissen, und das kann es niemals sein. So sicher wie das "Amen" in der Kirche.

Gott Leslie glücklich.
25. März ·

Was unterscheidet das Leid?

Die Schmerzwahrnehmung der verschiedenen Seelen. Was einigt alles Leiden? Die Schmerzwahrnemungsfähigkeit aller Lebewesen und damit die Angst, was bei Pflanzen jedoch wissenschaftlich definiert noch undenkbar erscheint. Darum spricht der Mensch auch (noch) nicht von Pflanzenquälerei.

Gott Leslie lesbar/unlesbar, verständlich/unverständlich ?

René G. : Zu viele Posts zugleich. Du weißt: Aufmerksamkeitsspanne = null - heutzutage.

Gott Leslie : deshalb auch nur anregende unvollendete und leicht zu

*ergänzende Gedankenfetzen. Unterschätze
die Intelligenz im Leser nicht, lieber René.*
)

*Gott Leslie anders; Avalokiteshvara
eben, mein Lightbild))*

*Gott Leslie freudig.
25. März ·*

Was machst du gerade, Römermann?

Ich hörlese:

Richard-David Precht:

Erkenne die Welt (als Hörbuch),

*Inspiration für weitere Heilung-
sprozesse im Heilungsprozess der Erde, die
ich zu gern als ihr erster Held zur rich-
tungsweisenden*

Allliebesheilung (mit drei l)

bringe.

Hurraahh!!!!!

ALLLIEBESHEILUNG, eines meiner neuen Lieblingswörter.

Gott Leslie
25. März ·

Was sind sie Römermann?

Visionen-Excessionator (neuestes Stellenprofil für das Projekt, die Vision 22tes Jahrhundert bis weit über das vierte Jahrtausend im Groben unverändert.) zu veröffentlichen am selbigen Tag, 9:04, bis dahin bleibt es ein Geheimnis dieser Erde in ihrem Innersten, dunklen Versteck, im Kern, im Kern des Ganzen, ok? pssst, nicht weiter erzählen..

Gott Leslie voll motiviert.
25. März ·

*Erster selbsternannter, weil heute als
der den Erdheilungsprozess anstossende
Erdarchitekt/Erdgärtner, seine Saat ver-
streuend, inform einfachster Gedanken,
nichtmal selbstentwickelter, nur erkannt
und benannt und dann bekannt, allen,
weltweit, keine Ausrede.*

*Ich war der erste selbsternannte,
loswirkende Erddezernent, gleich nach
allen anderen und Hawking und Precht..*

*ich, also, mein Geschreibsel hier so,
wesentlich Richtungsweisend durch
den selbst zu wählenden Lebensmittelpunkt für alle, jeden Menschen an jedem Wohnort, weltweit.*

*Heute diese Nation, morgen eine an-
dere, für immer, oder zum Testen
in jedweder Allgenerationen-Zoo-
Garten-Wohn- und Allebenskonstrukt-
Stätte.*

*Mächte Autos nebenbei mal eben un-
nötigst, aber sowas von, wie ich gerade
bemerke, hahahaha..*

Z.B.: Mit zwölf Jahren beschliesst Sophie, von Berlin nach London an die Royal Ballet School zu wechseln. Ihr wird ein Test vor Ort gemacht, der Ihre Chancen belegt und damit das Ticket dorthin auslöst. Wird sie angenommen, hat sie dort ihren vorläufigen, selbstgewählten Lebensmittelpunkt und so weiter, ohne dass sie eine Busse für verspätete Anmeldung im Wohnungsamt bekommt. Sie wird nach Wunsch überall mit einem Klick registriert, wo sie will und muss, denn es sagt ihr das intelligente Weltsteuerungs-System. Nicht Weltteuerungssystem. Eher mithilfe eines intelligenten Weltsteuersystems zur Registrierung der Studienzeiten für die Rente nach dem Bürgergeld und für den Tod und die Steuer selbst, bleibt ja wichtigst. Ableben und abgeben. Solange das Leben währt. Vollkommen Autoredundant. Dafür radrelevant, jajahh!!!!!! Halleluja!!!

Gott Leslie hoffnungsvoll.
25. März ·

Was machst du gerade Römermann?

Ich arbeite an meiner Nachwelt, mit und durch Gedanken, geschriebene, flaschenpostgleich ins All entlassen.. am Paradies auf Erden im 22sten Jahrhundert, mit 20.000€ monatlichem Bürgergeld, weltweit, weil Computer und Roboter für jede Transaktion steuern zahlen müssen, Steueroasen unmöglich geworden sind, Philanthropen die neuen Oligarchen sind, weil sie alles verstanden haben, was ich, les, weniges in die Welt entließ.
Heureka!!
!!

!!!!!!!!!!!!!!!!!!!!!!!! *erleichtert* Job des Weltengestalters für mich also: schon erledigt!! Ihr anderen habt noch was vor euch, einen Schritt: Zur Allgenerationen Weltzoogartenstädte!!!! Und schon 2100, im römermannschen Sinne dann, was immer dabei hinten herauskommen wird, kinderleicht und todsicher fürs Leben aller am Besten als freiwählbarer Lebensmittelpunkt einer jeden Persona weltweit, jederzeit. Ich will keine Winter mehr in Deutschlandia, ich will in Rio an der Foppa Cabana versorgt und geliebt werden, ...so einfach. Eure neue Realität, Kinder dieser Erde, schon viel zu bald um es heute schon zu klauben.))

Gott Leslie glücklich.
25. März ·

Wofür mir die Nachwelt zu schlecht schien,

es scheint mir heute gerade gut genug für sie.

Da ich erkenne, die Menschheit ist kinderleicht von meinem Paradies auf Erden 2100 Gedanken zu überzeugen.

Darum veröffentliche ich heute ein weiteres zerstörtes und doch zuvor fotografiertes Kunstwerk von mir: geniest es, Ihr Genies dieser aus meiner heutigen

Sicht phantastisch leicht zu rettenden Erde von Morgen, im 22sten Jahrhundert, ..ohne Titel.
Euer aller Weltengärtner, Römermann, Leslie, Berlin, den 25.März, in 2018, also früh genug um als funktionierendes Frühwarnsystem der Erde zu gelten, da wo es drauf ankommt am Ende des Erdrettungsprogramms

- Der dann genau weltweit anerkannten Definition von Paradies und von

Ökozid

und

Gerontozid ebenso

Gott Leslie amüsiert.
25. März ·

Grundgedanke des 22.Jahrhunderts
könnte sein:
Gib der Erde nach indianischer Art,
nach Verwertung der Gestorbenen den
Rest der Vegetation zurück,
klar die Idee eines Vegetariers- statt
Getötetes zu verzehren, Gestorbenes lo-
gisch ehren, d.h. Haut, Zähne, Knochen
verwerten? Ik wies doch nicht. Bin ich im
22.Jahrhundert, oder was?
Jedenfalls ernähren dann Tierinnereien
eher den Baum, als der Baum die Tiere,
wie heute: Sägespäne im Futter. Also eher
wie im Waldgebiet verendende Lachse für
die Mammutbäume dort - in echt immer

*schon, daran konnte der Mensch nur ger-
ing was ändern, bisher. ;-))
Grundgedanke, wäre es verkehrt?
Ja. Und gut so.
Zurückgekehrt zur eigentlichen Pla-
nung von Welt: Tier, Pflanze und Mensch
- in Harmonie und allseitiger Pflege und
Liebe und Respect im Umgang miteinander und nur, und alle gewählte Beziehung,
Schluss mit Familie kann man sich nicht
aussuchen, und ob, sogar kündigen soll
ein Kind seiner Familie dürfen, ohne ein
Mehrgenerationenheim im Streichelzoo
vermissen zu müssen ..und erst dann der
Gedanke an eine Abschiebung in ein
reines Kinderheim- adé!!!!!!!!!!!! Nie
mehr Jugendheime ganz alleine und so..
ach, mit Drogen kann Man, die
Gesellschaft als Ganzes dann auch sicher-
lich bestens umgehen, wie Spitzensportler
damals alle, also heute.*

Gott Leslie fantastisch.
25. März ·

Neuer Beruf:
Weltengestalter und damit
Weltenarchitekt,
Weltengärtner.
Alles vom Korrekturprogramm rot un-
terstrichen.
*stolz**fg*Ich))les))))))))))))))))))))))))))
)))))))))))))))))))))))

Gott Leslie freudig.
25. März ·

Zukunft 2100,

nicht nur für Deutschland, nicht nur
für Europa, nicht nur für Eurasien, nein
auch und besonders mit und für ganz
Afrika, auch für die ganze Wüste, die
dann erdgraphisch geoingeniert wird und
für ganz Südamerika und Australien,
besonders dort, wo die wenigen restlichen
Aborigines leben, ohne ihnen ihre riesigen
Uranvorkommen stehlen zu können:
Zoologische wie gärtnerische Kinder-
Alters-Jugend und Mittelalter-Heim-
städten,
weltenweltenrundumweit
ähnlich wie Bauhaus in den
zwanziger des 20. Jahrhunderts, aber im
22sten Jahrhundert etwas intelligenter,
stabiler und runder, eben zurück ins
Paradies..der Gedanke der vegetarischen
Grossfamilie wieder zurück in die Welt ge-

bracht, zurück auf Erden, das beschriebene Paradies vor dem Sündenfall, vor der Opferung von Tier-Seelen an die Götter und vor dem ganzen "mit dem Eisen die Seelen ausschaben".

Gott Leslie zufrieden.
25. März ·

Denke:

Die Rettung der Welt beginnt mit der Einsicht, das der griechische Philosoph Pedokles mit seiner vegetarischen Lebensweise als Paradies auf Erden Recht hatte, gewesen und somit immer und für immer sei: Recht. 2.) Zoologische Altersheime a la Pedokles oder Jane Goddal über die Erde als Gedanke in Ferne, nie zu früh verbreitet, weil noch frei von existenter Lobby. Die wird erst mit den Aktionären entstehen, die dies auch als Paradiesprodukt erkennen und verstehen, um das ganze vom Steuerrecht ab zu koppeln, gewinn zu maximieren und durch Opfer an der Falschen stelle, beim Einkommen der Pflegekräfte und/oder beim Bürgergeld dann vor zu nehmen, um als ganze Menschheit, wenn auch nicht als Individuum in einer Art Gegenteil des

Paradieses zu verharren. Um sich die Hölle auf Erden zu verschaffen, zu erhalten und weiter zu erbauen. Der Einzelne aber! bleibt frei, frei zu sein und somit im eigenen Paradies, selbst durch jede Kreuzigung, oder kreuzigungsähnliche Situation von Unerträglichkeit hindurch. Berlin, den 25. März, in 2018, Römermann, Leslie

Gott Leslie
9. März ·

Unsere Zukunft/ keine Utopie,

zu einem Interview mit David Precht.
von Dieter Hannemann (..10.000 Globo/
Monat, für jeden/jede, weltweit...)
vor 9 Monaten (bearbeitet)
BGE = Freiheit, Gerechtigkeit und
Chancengleichheit <3
Ausblick in die Zukunft: Wir sind mitten in einer Umwälzung, die die
industrielle Revolution bei weiten
übertrifft. Durch die ersten
Mechanisierungsschübe verloren Millionen von Menschen ihre Jobs in der
Landwirtschaft wo 1900 noch 80%
beschäftigt waren, heute sind es weniger
als 2%! Die Computer, Informationstech-

nik und Robotik von heute macht immer mehr Menschen ganz überflüssig. Wir vollziehen gerade einen Wandel hin zu einem Markt, der zum allergrößten Teil ohne menschliche Arbeitskraft funktioniert.

.

Heute werden nur noch zehn Prozent der arbeitenden Bevölkerung in Fabriken gebraucht. Bis 2020 werden es weltweit nur noch zwei Prozent sein. Die soziale und kulturelle Entwicklung hinkt der technischen Entwicklung auf Jahrzehnte hinterher. Der heutige Niedriglohnsektor ist eine gigantische Konjunkturbremse! Wenn in 10 Jahren nur noch 10% aller heutigen AN ausreichen, alle hochwertigen Güter und Dienstleistungen zu erbringen, wer soll diese dann konsumieren?

.

Arbeit wird zum Hobby, die Zukunft für alle viel besser

und phantastischer als sich das die kühn-
sten Optimisten vorzustellen
vermögen! Bald hat jeder seinen persönlichen Roboter, der alles macht
was man nicht mag: Putzen, Einkaufen,
Aufräumen, Arbeiten..., er wird
unsere Lehrer, Arzt, Berater, er wird bald
über alles Wissen der
Menschheit verfügen und entwickelt dies
weiter – technische
Singularität, wie man die evolutionsbed-
ingten menschlichen Schwächen:
Gier, Geiz, Neid, Hass überwindet!
.
Das BGE wird jährlich an die
wirtschaftlichen Gegebenheiten
angepasst! Da durch das BGE die
Nachfragekrise überwunden wird, die
wirtschaftliche Abwärts- in eine
Aufwärtsspirale gewendet wird, steigt der
Betrag stetig. Über Jahre wird
er auf 2000 - 3000 - 5000 - 10.000 - 20.000
Euro/Globo angehoben, bis
Geld und Geldbesitz sinnlos werden! Die

Star Trek Gesellschaft das geldbasierende System ablöst. Wer etwas braucht, nimmt es sich und gibt es zurück, wenn man es nicht mehr braucht!

Digitalisierung und Grundeinkommen

Gott Leslie hat einen Beitrag geteilt.
13. Februar · Berlin ·

Wann wird jeder Mensch mindestens 10 heutige und hiesige millionen € wert sein? 2222, 3333, oder 4444 (n.C.) ? Ich wünschte es wäre schon 0 nach Leslie! ..hehe, ;-Op)))

Gott Leslie
13. Februar · Berlin
L.R. Einladung zur Gründung eines
internationalen Genieballungsteams mit
dem einzigen Thema: 2222, oder Quo
vadis? Wo geht es hin mit uns? Und zwar
in der besten aller aus der Gegenwart
entstehbaren Welten.

Mein neuestes 10.000.000 € - für jeden weltweit als Geburtsrecht (als wünschenswerte Endziel-Grundlage zur Berechnung eines durchschnittlichen, weltweit geltenden Bürgergeldes) -Theorem

Theorem der Perfektion für jedes Individuum und jede Gesellschaft

Durch Gegensätze und Beispiele in der Geschichte von Individuum und Gesellschaft, zur Weiterentwicklung bishin zu Tolerantestem Individuum in Gesellschaft und Gesellschaft für jedwedes Individuum hin zur utopischen 100% Erfüllung eines Lebens von Geburt bis Tod in relativem Reichtum von Material und Nichtmateriellem wie sicherer Lebensentwicklung in allen Bereichen, motivierend von Geburt bis Tod für jeden in der Gesellschaft, weltumspannend, für jede denkbare Welt, besonders aber für die Erde meiner Zeit, für kontrolliertes Wachstum des Einzelnen Wesens (Pflanze, Tier und Mensch) und der Gruppe, gleich welcher Gruppe, alle Gruppen in Harmonie wie alle Noten Bachs miteinander harmonieren, nur ohne Dirigenten, ausser dem Theorem, wenn es sich zur Vollständigkeit durch alle gebracht haben würde, eines schönen Tages, bevor die Computer den Menschen voll ersetzen und danach nur noch zum Wohl jedermanns und aller zusammen beitragen sollte. Mit Sicherheit zur besten aller Utopien, so zu sagen, durch das sich selbst erfüllende Theorem, mit dessen Skizze ich gerne beginnen möchte, um am Ende in 100 Jahren das perfekte, kriegsfreie, hungerfreie und harmonische Menschenzeitalter, oder Weltzeitalter eingeläutet zu wissen, schon jetzt, wie Einstein, der seine Theorien nicht bestätigen konnte und es dennoch als erster erkannte, was nur der Welt für sich zu bestätigen war. Ich weiss also, was schon richtig ist, in welchem Wesen und welcher Gruppe, Kultur, Staatenbildung, System von Nord, Süd, Ost oder West, oder Südost, oder, oder, weil genug

erkannt, kenne die bestmögliche Form des
Ganzen in ferner Zukunft nicht, rege jedoch die Welt als Ganzes und jeden Leser
doch nur im Einzelnen zur Ergänzung an,
sich selbst zu erfüllen, für ein gelungenes,
gesundes, krankheitsfreies, unfallarmes,
oder besser - freies Leben, von individuell
bis hin zu global und gesamtge-
sellschaftlich, alle Lebewesen eines Planeten als Gesellschaft einbeziehend, auch
das Wohlergehen einer Mikrobe am unendlichen Ende des Gedankens zum Allglück, ohne Horrorszenario in der Zukunft und frei von Phatos, sondern als
denkbares, wünschenswertes Ideal einer
Realität, die es zu erreichen Gilt und in
der Grundschule zu Lehren, ebenso wie
auf jeder Uni und in jedem Betrieb, gross
wie klein, um an der Geschichte vom Weltunglück zu arbeiten, bevor wir mehr werden, als der Planet sich leisten können
sollte, wenn die Ahnung von 15 Milliarden
stimmt, dann bei 15 Milliarden Menschen
ist, Inch. Flora und Fauna, intakt, also

kein Umthema, sondern das einzig wichtige Thema als Theorem zur Bestätigung einer , meiner kleinen Theorie von Weisheit, Glück und der perfekten Funktion, individuell für jeden Menschen, Gesamtgesellschaftlich-global, für jeden Menschen, um sich darin wieder zu finden. Als Betätigung, mit ohne Ergänzungsbeitrag zum Theorem weiterentwickelnd, als Weiterentwicklung, ohne Ergänzungsbeitrag zum Theorem, es nicht weiterentwickelnd. Wie bei Wikipedia nur als eine von mir in die Welt gesetzte Aufgabe, die ich erträume als Schulfach zu erleben, fächerübergreifend von allem als Beispiel nehmend, was war, was ist, hier und woanders und was bei allen sein müsste, um jede Art der Migration zu stoppen, weite Wege kurz machend. Also welcher Steuersatz wäre in einem Weltstaat der Ideale für wen oder was und wo, oder für alle gleich sogar? = Verringerung der Steuermigration weltweit? Gar Aufhebung, weil sinnlosmachend ? Das Gleiche für Menschenmigration aufgrund von Krieg, Hunger und anderem Elend wie Intoleranz irgendwas gegenüber. Statt dessen Migration aus Grund der Liebe, zwei treffen sich im Chat und dann in der Mitte der Welt auf halbem Weg, um dort zu nisten, für alle Zukunft, ohne Einschränkung für jeden Menschen dann denk- dann machbar, weil einfach organisierter, wenn es sich weltweit in etwa gleichgut leben liesse., statt in der teuren Schweiz am Besten bei Angepasstheit und auch am Schlechtesten bei Unangepasstheit, z.B. Also, es folgen Gedankenspiele von Schwarz und Weiss, Hell und Dunkel, Arm und Reich, Sozialistisch und Kapitalistisch, Gesellschaftlich leicht gemacht und gesellschaftlich schwer gemachten Lebensmöglichkeiten und damit auch Unmöglichkeiten wo das Ideal nicht im geringsten erreicht ist, z.B. Homosexuelle Lebensplanung in Russland für einen erfolgreichen Beitrag zur Gesellschaft und nicht trotz dessen, leicht oder schwer gemacht. Das Schlechteste der Vergangenheit, im Hinblick auf Entwicklung des Menschlichen Lebens, das akzeptable aus der Gegenwart benennend und das Funktionalste für die Zukunft, ohne Behinderung, Abnormität, Minorität und anderes Wirklichkeitsszenario dabei weg zu denken, weg zu lassen, zu verschweigen, aus der Kalkulation zu nehmen für einen perfekten, magischen Realismus, der per Definition mit allem Realistischem Arbeitet, mit dem zu Rechnenden in eine Utopie von geführter, orchestrierter Entwicklungsgeschichte geht, die jeden Einzelnen, ob Schwimmer oder Mathematiker oder schwimmenden Mathematiker beschreibt, aber auch die Entwicklungsgeschichte der Notwendigen Entwicklung der Menschheit aus der heutigen zersplitterten Weltbevölkerung heraus zeigt, um den Weg in eine Kriegs- und Hungerfreie Welt auf zu zeigen, dem heutigen Menschen für Morgen den Weg sicher weisend, aus Berechnungen einzelner Genies für alle, von

allen zum Konzert gebracht, die sich
beteiligen und wenn es einmal alle wären,
wäre es
geschaft.
Die dringlichste aller Arbeiten, Theoreme, Fragen der Menschheit: Quo vadis?
Wo geht es hin mit uns? Und zwar in der
besten aller aus der Gegenwart entstehbaren Welten. Und das wird am Ende nur
eine sein, oder gar keine sein, weil sie
nicht diie Beste geworden sein wird, die sie
aus heutiger Sicht hätte werden können,,
z.B. mit einem Weltmindestlohn, oder
einem Welthöchstverdienst, einem Weltdurchschnittsverdienst, der den Namen
verdiient,, weil der Durchschnitt ihn auch
tatsächlich hat und nicht nur die Statistik
es zwangsläufig irgendwo im Irrelevanten
herauspickt, ohne Erfüllung im System zu
finden. So ein Theorem schwebt mir schon
lange vor, das ich jedoch nicht alleine
Niederschreiben kann, sondern nur
anstossend in die Welt setzen möchte, um
a) als der Erfinder des Theorems zur ide-

alen Selbstfindung des Einzelnen und der Gesellschaft zu gelten, b) es zur Diskussion in allen Bereichen, in allen Sprachen zu bringen, c) es irgendwann bei evtl. 15 Milliarden Erdbewohnern funktionierend und erfüllt zu sehen, jetzt schon, aber für jeden Menschen in jedem Alter, als erste Aufgabe, auch für die gesamte Gesellschaft eines Planeten wie der Erde des Menschen, denn sie gehört ihm nunmal leider de facto. Also das de facto Theorem vom harmonisierten Leben des Individuums im Besonderen und in mit der Gesellschaft im Allgemeinen, geboren aus Beispielen, die Gestern, heute und morgen Belegen solleten, was war faul, was ist auf dem Weg als lobenswert zu bestätigen, was wo noch nicht und was ist wünschenswert für allerorten und alle Zukunft, wo evtl. schon zu erfahren, zu besichtigen, zu erleben, erlebbar gewesen? Wiederbelebung gesunder, verlernter Stärken des Einzelnen, oder der Gemeinschaft. Zählt Hass in Irgendeiner Form dabei als zuträglich und *wenn ja wo? So entsteht eine Landkarte des Lebens mit allen Möglichkeiten und Unmöglichkeiten, um sich darin zurecht zu finden, kinderleicht damit irgendwann für die ganze Gesellschaft dann erreicht, wie zum Beispiel eine Währung für die ganze Welt, logisch, wenn man damit geboren sein wird, eines Tages, wennwir uns so entwickeln wie nötig und nicht so zerbomben wie möglich auf dem Weg zur gut gefüllten statt übervölkerten Welt von 15 Milliarden dann, je nach Stand zu konstatieren, sicher einmal, auch wenn ich es nicht mehr erlebe, so weiss ich heute schon, wird mein Theorem aktuell besprochen werden, wenn es Sinn machen sollte und überlebet haben würde, wenn die Menschheit 15 Milliarden zählt, genau oder ohne Jubiläumsfeier so la la.. jedenfalls: mein 10.000.000 € Grund-Personenwert für jeden weltweit als Geburtsrecht fordere ich, Leslie Römermann, für ab in 50 Jahren (für 2068), als ernsthaft diskutabel ein zu führen in den neu zu*

erfindenden Menschheitsgarantien-Kata-
log unter Grundlage für das überleben-
snotwendige Bürgergeld. Namaste

Gott Leslie, 13. Februar · Berlin ·

Mein 10.000.000 € für jeden weltweit
als Geburtsrecht -Theorem

Theorem der Perfektion für jedes In-
dividuum und jede Gesellschaft

Durch Gegensätze und Beispiele in
der Geschichte von Individuum und
Gesellschaft, zur Weiterentwicklung bishin
zu Tolerantestem Individuum in

Gesellschaft und Gesellschaft für jedwedes Individuum hin zur utopischen 100% Erfüllung eines Lebens von Geburt bis Tod in relativem Reichtum von Material und Nichtmateriellem wie sicherer Lebensentwicklung in allen Bereichen, motivierend von Geburt bis Tod für jeden in der Gesellschaft, weltumspannend, für jede denkbare Welt, besonders aber für die Erde meiner Zeit, für kontrolliertes Wachstum des Einzelnen Wesens (Pflanze, Tier und Mensch) und der Gruppe, gleich welcher Gruppe, alle Gruppen in Harmonie wie alle Noten Bachs miteinander harmonieren, nur ohne Dirigenten, ausser dem Theorem, wenn es sich zur Vollständigkeit durch alle gebracht haben würde, eines schönen Tages, bevor die Computer den Menschen voll ersetzen und danach nur noch zum Wohl jedermanns und aller zusammen beitragen sollte. Mit Sicherheit zur besten aller Utopien, so zu sagen, durch das sich selbst erfüllende Theorem, mit dessen Skizze ich gerne be-

ginnen möchte, um am Ende in 100
Jahren das perfekte, kriegsfreie, hungerfreie und harmonische Menschenzeitalter,
oder Weltzeitalter eingeläutet zu wissen,
schon jetzt, wie Einstein, der seine Theorien nicht bestätigen konnte und es dennoch als erster erkannte, was nur der Welt
für sich zu bestätigen war. Ich weiss also,
was schon richtig ist, in welchem Wesen
und welcher Gruppe, Kultur, Staatenbildung, System von Nord, Süd, Ost oder
West, oder Südost, oder, oder, weil genug
erkannt, kenne die bestmögliche Form des
Ganzen in ferner Zukunft nicht, rege jedoch die Welt als Ganzes und jeden Leser
doch nur im Einzelnen zur Ergänzung an,
sich selbst zu erfüllen, für ein gelungenes,
gesundes, krankheitsfreies, unfallarmes,
oder besser - freies Leben, von individuell
bis hin zu global und gesamtge-
sellschaftlich, alle Lebewesen eines Planeten als Gesellschaft einbeziehend, auch
das Wohlergehen einer Mikrobe am unendlichen Ende des Gedankens zum All-

glück, ohne Horrorszenario in der Zukunft und frei von Phatos, sondern als denkbares, wünschenswertes Ideal einer Realität, die es zu erreichen Gilt und in der Grundschule zu Lehren, ebenso wie auf jeder Uni und in jedem Betrieb, gross wie klein, um an der Geschichte vom Weltunglück zu arbeiten, bevor wir mehr werden, als der Planet sich leisten können sollte, wenn die Ahnung von 15 Milliarden stimmt, dann bei 15 Milliarden Menschen ist, Inch. Flora und Fauna, intakt, also kein Umthema, sondern das einzig wichtige Thema als Theorem zur Bestätigung einer , meiner kleinen Theorie von Weisheit, Glück und der perfekten Funktion, individuell für jeden Menschen, Gesamtgesellschaftlich-global, für jeden Menschen, um sich darin wieder zu finden. Als Betätigung, mit ohne Ergänzungsbeitrag zum Theorem weiterentwickelnd, als Weiterentwicklung, ohne Ergänzungsbeitrag zum Theorem, es nicht weiterentwickelnd. Wie bei Wikipedia nur als eine *von mir in die Welt gesetzte Aufgabe, die ich erträume als Schulfach zu erleben, fächerübergreifend von allem als Beispiel nehmend, was war, was ist, hier und woanders und was bei allen sein müsste, um jede Art der Migration zu stoppen, weite Wege kurz machend. Also welcher Steuersatz wäre in einem Weltstaat der Ideale für wen oder was und wo, oder für alle gleich sogar? = Verringerung der Steuermigration weltweit? Gar Aufhebung, weil sinnlosmachend ? Das Gleiche für Menschenmigration aufgrund von Krieg, Hunger und anderem Elend wie Intoleranz irgendwas gegenüber. Statt dessen Migration aus Grund der Liebe, zwei treffen sich im Chat und dann in der Mitte der Welt auf halbem Weg, um dort zu nisten, für alle Zukunft, ohne Einschränkung für jeden Menschen dann denk- dann machbar, weil einfach organisierter, wenn es sich weltweit in etwa gleichgut leben liesse., statt in der teuren Schweiz am Besten bei Angepasstheit und auch am*

*Schlechtesten bei Unangepasstheit, z.B.
Also, es folgen Gedankenspiele von
Schwarz und Weiss, Hell und Dunkel, Arm
und Reich, Sozialistisch und Kapitalistisch, Gesellschaftlich leicht gemacht und
gesellschaftlich schwer gemachten
Lebensmöglichkeiten und damit auch
Unmöglichkeiten wo das Ideal nicht im
geringsten erreicht ist, z.B. Homosexuelle
Lebensplanung in Russland für einen erfolgreichen Beitrag zur Gesellschaft und
nicht trotz dessen, leicht oder schwer
gemacht. Das Schlechteste der Vergangenheit, im Hinblick auf Entwicklung des
Menschlichen Lebens, das akzeptable aus
der Gegenwart benennend und das Funktionalste für die Zukunft, ohne Behinderung, Abnormität, Minorität und anderes Wirklichkeitsszenario dabei weg zu
denken, weg zu lassen, zu verschweigen,
aus der Kalkulation zu nehmen für einen
perfekten, magischen Realismus, der per
Definition mit allem Realistischem Arbeitet, mit dem zu Rechnenden in eine Utopie*

von geführter, orchestrierter Entwicklungsgeschichte geht, die jeden Einzelnen,
ob Schwimmer oder Mathematiker oder
schwimmenden Mathematiker beschreibt,
aber auch die Entwicklungsgeschichte der
Notwendigen Entwicklung der Menschheit
aus der heutigen zersplitterten Weltbevölkerung heraus zeigt, um den Weg in
eine Kriegs- und Hungerfreie Welt auf zu
zeigen, dem heutigen Menschen für Morgen den Weg sicher weisend, aus Berechnungen einzelner Genies für alle, von
allen zum Konzert gebracht, die sich
beteiligen und wenn es einmal alle wären,
wäre es Geschäft. Die dringlichste aller
Arbeiten, Theoreme, Fragen der Menschheit: Quo vadis? Wo geht es hin mit
uns? Und zwar in der besten aller aus der
Gegenwart entstehbaren Welten. Und das
wird am Ende nur eine sein, oder gar
keine sein, weil sie nicht diie Beste geworden sein wird, die sie aus heutiger Sicht
hätte werden können,, z.B. mit einem
Weltmindestlohn, oder einem Welthöch-

stverdienst, einem Weltdurchschnittsverdienst, der den Namen verdiient,, weil der
Durchschnitt ihn auch tatsächlich hat und
nicht nur die Statistik es zwangsläufig irgendwo im Irrelevanten herauspickt, ohne
Erfüllung im System zu finden. So ein
Theorem schwebt mir schon lange vor, das
ich jedoch nicht alleine Niederschreiben
kann, sondern nur anstossend in die Welt
setzen möchte, um a) als der Erfinder des
Theorems zur idealen Selbstfindung des
Einzelnen und der Gesellschaft zu gelten,
b) es zur Diskussion in allen Bereichen, in
allen Sprachen zu bringen, c) es irgendwann bei evtl. 15 Milliarden Erdbewohnern funktionierend und erfüllt zu sehen,
jetzt schon, aber für jeden Menschen in
jedem Alter, als erste Aufgabe, auch für
die gesamte Gesellschaft eines Planeten
wie der Erde des Menschen, denn sie
gehört ihm nunmal leider de facto. Also
das de facto Theorem vom harmonisierten
Leben des Individuums im Besonderen
und in mit der Gesellschaft im Allge-

meinen, geboren aus Beispielen, die
Gestern, heute und morgen Belegen solleten, was war faul, was ist auf dem Weg
als lobenswert zu bestätigen, was wo noch
nicht und was ist wünschenswert für
allerorten und alle Zukunft, wo evtl. schon
zu erfahren, zu besichtigen, zu erleben, erlebbar gewesen? Wiederbelebung gesunder, verlernter Stärken des Einzelnen, oder
der Gemeinschaft. Zählt Hass in Irgendeiner Form dabei als zuträglich und
wenn ja wo? So entsteht eine Landkarte
des Lebens mit allen Möglichkeiten und
Unmöglichkeiten, um sich darin zurecht
zu finden, kinderleicht damit irgendwann
für die ganze Gesellschaft dann erreicht,
wie zum Beispiel eine Währung für die
ganze Welt, logisch, wenn man damit geboren sein wird, eines Tages, wennwir uns
so entwickeln wie nötig und nicht so zerbomben wie möglich auf dem Weg zur gut
gefüllten statt übervölkerten Welt von 15
Milliarden dann, je nach Stand zu konstatieren, sicher einmal, auch wenn ich es

nicht mehr erlebe, so weiss ich heute schon, wird mein Theorem aktuell besprochen werden, wenn es Sinn machen sollte und überlebet haben würde, wenn die Menschheit 15 Milliarden zählt, genau oder ohne Jubiläumsfeier so la la.. jedenfalls: mein 10.000.000 € Grund-Personenwert für jeden weltweit als Geburtsrecht fordere ich, Leslie Römermann, für ab in 50 Jahren (für 2068), als ernsthaft diskutabel ein zu führen in den neu zu erfindenden Menschheitsgarantien-Katalog. Namaste

Gott Leslie
11. Februar ·

meine Welt,

vom kindergarten bis zum tode be-
hütet, alle, weltweit. die beste aller welten,
als prognose: klimatisch, sozial, kapital,
einsam hiermit als Weltziel einer welt
predigend, die gefahr läuft, die schlimmste
aller welten zu werden. ein buchprojekt
für alle, die es weiterschicken und weiter-
stricken. losgetreten am 11.feb. 2018, von
Leslie Römermann

Gott Leslie
1. Oktober 2017 ·

Ich korrigiere wieder ein wenig meinen unendlichen Text

für wen es etwas angeht….

HEUREKA! MEIN NEUESTES TESTAMENT für dieses veraltete, renovierungsbedürftige Jahrtausend

----allen Wesen Beistand zu ihrer Befreiung ---

(Und mit der energischsten Aufforderung, an alle zukünftigen Abiturienten dieser Erde, diese, meine Worte -evtl. mal als Aufgabe- in ihre eigenen Worte zu fassen, -fremdbenotungsfern, natürlicherweise!)

LIEBE WELT, liebe LeserIn, hier eilt konzeptionelle & verlässlich gerechte LÖSUNG herbei,

-und dies von einem geistig behinderten Asperger-Autisten-,

zur Wahl & für danach, inform Gedanken.

"Aufgabe für eine Menschheit in Schiefflage"

Eine kleine Theoremidee für Jedermensch, JederwählerIn & vor allem Kim Jong-il und Donald Trump

Das Theorem aller künftigen, höchst-funktionalen und zugleich natürlich equi-libralen Welten?

Mein kleines, lieb gewonnenes Theo-rem als Tagesträumerei im Wunsch ge-boren hier und irgendwann gelang`s zu dir, liebe Pia, du, mit deinem Klavier. ;-)))

Als Theorem der Perfektion für jedes Individuum und jede Gesellschaft ? Nur wünschenswerter Beginn im Sinn.

Eine Skizze zur Geburt des Heils aller als Wunsch zum kommenden Tage der 15Milliarden Menschen auf Erden - in Bälde, sicher nach meinem Tode und doch sehr bald.

Von Leslie Römermann. (Mir, & hi-ermit dem Erfinder des zeitgenössischen, modernen, und evtl. irgendwann einmal weltweit gültigen Theorems zur idealen Selbstfindung des Einzelnen und der Gesellschaft)

Keine zerstörerisch machbare Ideolo-gie - nein, eine revolutionär anerkennbare Prophezie, kurz und doch kompakt wie der

Urknall, nur auf die Welt bezogen. Dafür die ganze Welt, dieses Mal, wenn es klappt wie ich es sage, zu träumen wage.

Ein perfektes Theorem wünschte ich mir/ihr und ihm, für die beste aller zukünftigen Welten im Diesseits, das zu bilden und vollenden wäre -ohne mich wahrscheinlich, und um den Zeitraum 15Milliarden Menschen auf Erden, wie eine Stunde Null gedacht.

a) durch Gegensätze und jeweils Beispiele dafür in der Geschichte von Individuum und Gesellschaft gleichermassen,

b) zur Weiterentwicklung bis hin zu tolerantestem Individuum in Gesellschaft und tolerantester, also robustester Gesellschaft für jedwedes Individuum

c) hin zur utopischen 100% Erfüllung eines Lebens von Geburt bis Tod in relativem Reichtum von Material und Nichtmateriellem wie z.B.: sicherer Lebensentwicklung in allen Bereichen, motivierend von Geburt bis Tod für jeden in jeder

Gesellschaft, weltumspannend, für jede denkbare Welt, besonders aber für die Erde meiner Zeit und schon kurz danach, ab ca.2050 n.Ch.,

d) für kontrolliertes Wachstum jedes einzelnen Wesens (Pflanze, Tier und Mensch) und der Gruppe, gleich welcher Gruppe, alle Gruppen in Harmonie zueinander sich verhaltend, so in etwa wie alle Noten Bachs miteinander harmonieren, nur ohne Dirigenten, ausser dem Theorem selbst,

das Dirigierte (die Welt) dann nämlich wie ein schweizer Uhrwerk, fehlerfrei und höchst perfekt - sich selbst spielend wie ein Orchester,

wenn es sich zur Vollständigkeit durch Allle gemeinsam gebracht haben würde, eines schönen Tages, bevor die Computer den Menschen voll ersetzen und nämlich dann nur noch jedermann und jederroboter zum Wohl jedermanns und aller zusammen beitragen sollten, die Computerwesen humantechnischer Intelligenz (das Wir incl. aller Computer weltweit, gelassen, heiter, harmonisch). Hoffentlich, beabsichtigter und bezeichnender Weise mit Sicherheit zur besten aller Utopien, so zu sagen, durch das sich selbst erfüllende Theorem, mit dessen Skizze ich gerne gleich hier schon einmal beginnen möchte, um am Ende in 100 Jahren vielleicht das perfekte, kriegsfreie, hungerfreie und harmonische Menschenzeitalter, oder Weltzeitalter wie z.b.: „AGREEMENT of YEAR SERO-WORLDWIDE" eingeläutet zu wissen, schon jetzt, wie Einstein, der seine Theorien nicht bestätigen konnte und es dennoch als Erster erkannte, was nur der Welt für sich selbst zu bestätigen war- Toloranz und starke, resiliente Performanz durch Technologie als Kapital, das zum Krieg oder zum Frieden einsetzbar sein wird.

Ich glaube zu fühlen, ich weiss also schon jetzt, was richtig und was falsch für ein sogenanntes Gelingen Aller zusammen ist, in welchem Wesen und welcher

Gruppe, Kultur, Staatenbildung, System von Nord, Süd, Ost oder West, oder Südost, oder, oder... weil ich in meinem kurzen 44jährigen Leben vielleicht wirklich einfach nur genug erkannt habe,..ich kenne die bestmögliche Form des Ganzen in ferner Zukunft nicht in abschliessender Form als Vision, nein, rege jedoch die Welt als Ganzes und jeden Leser doch nur im Einzelnen zur Ergänzung an, sich selbst zu erfüllen, für ein gelungenes, gesundes, krankheitsfreies, unfallarmes, oder besser - freies Leben, von individuell bis hin zu global-gesamtgesellschaftlich. Jeder denkende und fühlende Mensch, der dies lese, möge evtl. alle Lebewesen dieses Planeten als Gesellschaft einbeziehend, auch das Wohlergehen einer Mikrobe am unendlichen Ende des Gedankens zum Allglück sehen, nur sehen, -ohne Horrorszenario in der Zukunft und frei von Phatos, sondern als denkbares, wünschenswertes Ideal einer

Realität, die es zu erreichen gilt- und dann fortan nur noch mit einbeziehen in sein Verstehenkönnen.

Und so würde alles nochmal richtiggestellt und gut.

Jeder Konflikt, der zur atomaren Hysterie heranwachsen könnte - ohne diesen Gedanken an die Mikrobe am unendlichen Ende des Gedankens.

In einer verdammt realen Welt, fern von Nahtod. Fern von Gott.

Selbständig von ihm, und doch in seinem besten Ermöglichen/ ihrem besten Können (die Welt, das dann genesende Hybrid aus menschlicher und künstlicher Intelligenz gut geleitet zum Schutze der Mutter/des Vaters Natur).

..und ein solches Theorem als Fach leicht vereinfacht bereits in der Grundschule zu Lehren, neben, oder statt Philosophie und/oder Religion, oder ergänzend als der Weisheit Schluss, bis zur jeweils im Gremium gefundenen neuesten,

zeitgenössischen, neomodernen Ergänzung,

...ebenso wie auf jeder Uni als Studiengebiet

...und in jedem Betrieb, gross wie klein, als Kapital, das Wissen über das Theoramthema: Die Heile Welt zur Zeit 15 Milliarden.

Gross gewachsen, irgendwann, täglich vervollkommnet in gemeinschaftlichem Bestreben und Bemühen, Gremiumsüberwacht, gekonnt, professionell, jeder objektiv ergründeten, wissenschaftlich gewachsenen Wahrheit und Weisheit von und für Alt wie Jung Raum gebend, Herkunftsneutral gleichermassen, (aus diesem Urtext quellend immerfort, bis zur Unkenntlichkeit verbessert und ergänzt, L.R.`s/Autors Wunsch, ihn erinnernd, oder auch nicht)

... hauptursächlich um an der Geschichte vom bisherigen Hauptthema der Menschheit, dem "Weltunglück" so gründlich wie möglich zu arbeiten,

bevor wir mehr werden, als der Planet sich leisten können sollte, wenn die Ahnung von 15 Milliarden stimmt, dann bei 15 Milliarden Menschen sein werden, Wunschziel als Definition höchster Gelungenheit: Dann auch gleich bitte Incl. wieder intakterer Flora und Fauna,
also
kein Un-thema,
dieses Unbekannte namens Theorem, um das ich die Welt konzertiert bitte, eher das meiner Meinung nach ewiglich und einzig wirklich wichtigste Thema als Theorem, in unwiderstehlicher, hochwissenschaftlicher Theoremform, formvollendet wie die Ansprache der Fürstin mit "euer Durchlaucht", wie eine selten gewordene Pflanze, gehegt, nicht zerkleinert zu Pflänzchen, keine Theoriechen, ein echtes Theorem, Welt, da bitt ich drum:
...sei ich drum dumm, dumm, dumm..wie unkelum.
Also, worum handelt es sich hier?

„Von Weisheit, Glück und der perfek-
ten Funktion jedweder Realität"
Nur das.
in bestmöglicher Funktion hiermit
überbeschrieben sowohl individuell für je-
den Menschen, als auch gesamtge-
sellschaftlich, global, für das Grosse-
Ganze. Einleuchtend nur, wie z.B.:
Luthers Umwandlung des Begriffs der
Schadenfreude in Gönnen, um sich -im
Schlimmstfall bei eigenem Misserfolg z.B.
als letzter Verlierer in einem Spiel-
mit christlicher Nächstenliebe selbst
trösten zu können, indem man/er/Luther
dann einfach und gelassen jedem Erfol-
greicheren seinen Erfolg gönnen könnte.
Verlieren ist somit sowas von out-
gestrig, per definition. Immerig und schon.
Für jeden sich lesenden, sich verste-
henden Menschen, um sich darin wieder
zu finden, samt seiner Geschichte, Gegen-
wart und wahrscheinlichen,
also wahren Zukunft, nicht der Uner-
füllten, denn dies sei ein anderes Theorem

- gleichwohl durch eigene Ergänzung und Verbesserung alles in und um wie mit sich weiterbringend, wenn richtig mit der Wahrheit ringend.

Dies allgemeingültig Konstatieren, Akzeptieren und Weiterentwickeln durch Wunsch und Tat zugrundelegend als Betätigung des Lesers seiner selbst durch faktisches Wissen über die Wahrheit von Geschichte der Vergangenheit, Gegenwart und Zukunft jeweils, mit individuellem Ergänzungsbeitrag zum Theorem weiterentwickelnd, als Weiterentwicklung des Theorems zur Weltsituation (Gestern,heut,Morgen, hier und woanders),

...oder auch ohne Ergänzungsbeitrag zum Theorem, es nicht weiterentwickelnd, aber nur schon verstehend worum es hiermit ginge zumindest sich als Individuum und damit auch gleich ein Stück die Ganzheit der Gesellschaft weltweit auf dem Weg zu den 15 Milliiarden weiterentwickelnd mehr, als wenn ohne dies gele-

sen zu haben und soweit möglich ver-
standen, eingeordnet und genutzt zu
haben, um z.B.: kein Rassist, Homopho-
bist, reiner Christ, Buddhist oder anderes -
Ist ausschliesslich mehr sein zu können.
Durch lesen schon allein, oder eben
Beteiligung durch Ergänzung und
Verbesserung, ungefähr wie alles bei
Wikipedia, halt nur als eine von MIR (dem
Autor, L.R.) einmalig in die Welt gesetzte
"Aufgabe für die Menschheit in Schi-
efflage",
die ich erträume als Schulfach zu er-
leben, fächerübergreifend von allem als
Beispiel nehmend, was war, was ist, hier
und woanders und was bei allen sein
müsste, um
z.B.: jede Art der Migration zu stop-
pen, also weite Wege kurz machend.
Beispiel: welcher Steuersatz wäre in
einem Weltstaat (wenn die Welt aus nur
einem Staat bestünde) der Ideale für wen
oder was und wo, oder für alle gleich sog-
ar? = Verringerung der Steuermigration

weltweit? Gar Aufhebung, weil sinnlos-machend ?

Das Gleiche für Menschenmigration aufgrund von Krieg, Hunger und anderem Elend wie Intoleranz irgendwas gegenüber.

Statt dessen Migration aus Grund der Liebe, z. B.: zwei treffen sich im Chat und dann in der Mitte der Welt auf halbem Weg, um dort zu nisten, für alle Zukunft, ohne Einschränkung für jeden Menschen erstmal nur denk- und später hoffentlich dann mal auch grenzenlos machbar, weil einfach organisierter organisierbar, wenn es sich weltweit in etwa gleichgut leben liesse., statt in der teuren Schweiz am besten bei Angepasstheit und auch am schlechtesten bei Unangepasstheit.

Unterstützend durch eine switch-your-homeland-app, denkbar leicht gemacht, vielleicht, im Jahr 15 Milliarden Men-schen auf Erden = Weltstaat im Jahre 0 nach "wir sind jetzt wirklich voll auf der Erde". Ob im Griff bis dahin oder auch

*noch nicht im Griff bis dahin: Das Glück,
den Tanz, die Welt, was sonst, worüber
theoretisiere ich hier denn?
Also, es folgen Gedankenspiele von
Schwarz und Weiss, Hell und Dunkel, Arm
und Reich, Sozialistisch und Kapitalistisch, Gesellschaftlich leicht gemacht und
gesellschaftlich schwer gemachten
Lebensmöglichkeiten und damit auch
Unmöglichkeiten wo das Ideal nicht im
geringsten erreicht ist, z.B. Homosexuelle
Lebensplanung in Russland für einen erfolgreichen Beitrag zur Gesellschaft und
nicht trotz dessen, leicht oder schwer
gemacht?
Das Schlechteste der Vergangenheit,
im Hinblick auf Entwicklung des menschlichen Lebens, das akzeptable aus der
Gegenwart benennend und das Funktionalste für die Zukunft,
UND/ABER !!!! !!!! !!!! !!!!
ohne Behinderung, Abnormität, Minorität und anderes Wirklichkeitsszenario
dabei weg zu denken, weg zu lassen, zu*

verschweigen, aus der Kalkulation zu nehmen für einen perfekten, magischen Realismus, der per Definition mit allem Realistischen arbeitet, mit dem zu Rechnenden in eine realisierbare Utopie von geführter, orchestrierter Entwicklungsgeschichte geht, die jeden Einzelnen, ob Schwimmer oder Mathematiker oder schwimmenden Mathematiker im Ideal, nicht in der Tragödie fasst und beschreibt, aber auch die Entwicklungsgeschichte der notwendigen Entwicklung der Menschheit aus der heutigen zersplitterten Weltbevölkerung heraus zeigt, um den Weg in eine Kriegs- und Hungerfreie Welt auf zu zeigen, dem heutigen Menschen für Morgen den Weg sicher weisend, aus Berechnungen einzelner Genies für alle zusammengeschrieben und immer wieder wo möglich bestens Ergänzt, von allen Lesern meines Ichs und Ichen im Leser zum Konzert gebracht, nur den Lesern, die sich beteiligen und wenn es einmal alle wären, wäre es

*DAS ZIEL DER MENSCHEN,
TIERE UND PFLAMZEN: eine best-
möglichst geschaffte Gesellschaft, weltumspannend und äusserst spannend.,
denke ich mir gerade.*

*Sicher scheint mir: Die dringlichste
aller Arbeiten, Theoreme, Fragen der
Menschheit: Quo vadis? Wo geht es hin
mit uns? Und zwar in der nur gemeinsam
denkbar Besten aus der Gegenwart entstehbaren Welt.*

*Und das wird am Ende nur eine sein
können, oder gar keine sein, weil sie nicht
diie Beste geworden sein wird, die sie aus
heutiger Sicht hätte werden können*

*z.B. mit einem Weltmindestlohn, oder
einem Welthöchstverdienst, einem Weltdurchschnittsverdienst, der den Namen
verdient, weil der Durchschnitt ihn auch
tatsächlich hat und nicht nur weil die Statistik ES zwangsläufig irgendwo im Irrelevanten herauspuckt, ohne Erfüllung im
System zu finden.*

So ein Theorem schwebt mir schon lange vor, das ich jedoch nicht alleine niederschreiben kann/will und werde, sondern nur anstossend in die Welt setzen möchte, um

a) als der Erfinder des Theorems zur idealen Selbstfindung des Einzelnen und der Gesellschaft zu gelten, DES THEOREMS DER MEN- SCHHEIT , bescheidenheitsfern for- muliert

b) es mühelos hiermit zur Diskussion in allen Bereichen, in allen Sprachen zu bringen,

c) es irgendwann bei evtl. 15 Milliar- den Erdbewohnern funktionierend und er- füllt zu sehen, jetzt schon, aber für jeden Menschen in jedem Alter, als erste Auf- gabe, auch für die gesamte Gesellschaft eines Planeten wie der Erde des Men- schen, denn sie gehört ihm nunmal leider de facto. Also auch die volle Verantwor- tung über alles Drei. Also

„ Das de facto Theorem vom harmonisierten Leben des Individuums im Besonderen und/in/mit der Gesellschaft im Allgemeinen, geboren aus Beispielen, die die Realitäten von Gestern,die Aufgaben von heute und die Chancen von Morgen beispielhaft, spielerisch-philosophisch und Kinderleicht wie Tiefgründig zugleich Belegen sollten, z.B.:
was war faul, was ist auf dem Weg als lobenswert zu bestätigen, was wo noch nicht und was ist wünschenswert für allerorten und alle Zukunft, wo evtl. schon zu erfahren, zu besichtigen, zu erleben, erlebbar gewesen, bestätigt als gut oder schlecht im System des Glücks im Leben des Einzelnen, der Gesamtheit? Wiederbelebung gesunder, verlernter Stärken des Einzelnen, oder der Gemeinschaft? Zählt Hass in Irgendeiner Form dabei als zuträglich und wenn ja wo? Wenn nein, irrt die Bibel, wenn sie gedruckt in sich stehen hat, Alles habe seine Zeit.

*So entsteht vielleicht wie von Zauber-
hand mit der Zeit eine Landkarte des
Lebens, jedes denkbaren Lebens mit allen
Möglichkeiten und Unmöglichkeiten, um
sich als Betrachter des Theorems darin
zurecht zu finden, kinderleicht, damit irgendwann für die ganze Gesellschaft dann
erreicht, wie zum Beispiel eine Währung
für die ganze Welt, logisch, wenn man
damit geboren sein wird, ..eines Tages,
wenn wir uns so entwickeln wie nötig
und nicht so zerbomben wie möglich
auf dem Weg zur gut gefüllten statt
übervölkerten Welt
von 15 Milliarden dann, je nach Stand
zu konstatieren,
sicher einmal, auch wenn ich es nicht
mehr erlebe, so weiss ich heute schon,
wird mein Wunsch nach einem vollständi-
gen und gelungenen, wirkungsvollen,
bekannten Theorem aktuell besprochen
werden, wenn es Sinn machen sollte und
überlebt haben würde, wenn die Menschheit 15 Milliarden zählt, genau an*

diesem Tage dann oder ohne Jubiläumsfeier so la la ungefähr um den Zeitpunkt.
Mein kleines, lieb gewonnenes Theorem,
mal sehn, ob es den Titel zu Recht trägt,
oder nicht verdient hat. ;-))) So wie so:
Leben SIE wohl, allerseits und allerzeits,
Welt-, oder auch Kosmosweit, allein oder
zu zweit, zu dritt, zu viert, ganz gleich wie
dünn oder breit, allzeit zum Leben oder zu
sterben bereit, Hauptsache mit meiner
Erfindung vom
"Theorem aller Zeiten und Orte zum
Planetfrieden im Augenblick 15Milliar-
den"
in Harmonie und nicht im Widerstreit,
denn ha,ha,ha es ist schon da, und auch
für dich nun jederzeit zur unendlichen,
aber sicher nicht beliebigen Vervollständi-
gung und Verbesserung in alle Ewigkeit ,
bereit.
D/M/EIN, unser aller erstrangiges
Theorem, Mensch, los geht`s!
;-))) liebevollst, der L.R. (Autor DER
Theoremidee für Jedermensch), oder wie

er sich nennt und genannt haben wird:
"Der neue & letzte Messias, der im Ver-
borgenen gelebt haben wird", der die
"Neue Zeitrechnung" vorgeschlagen hat,
zur "Zeit des vollen Schiffes", das das
neue Jahr 0 dann ENDLICH als GENUG
gelungen definiert haben wird, um ir-
gendwann, irgendwann, dann.
Hehehe..NAMASTE ("Guten Tag, meine
sehr verehrten Damen und Herren, wir
feiern heute weltweit, das letzte leidende
Kind auf erden wurde soeben für immer
un d ewig glücklich gemacht. DIE NEUE
STUNDE NULL HAT SOEBEN BE-
GONNEN, 2100 N. CH. WIRD SEIN
LEIDEN somit BEENDET sein UND ER
(Christus, Jesus) KANN IN RENTE, SO
WIE ICH AUCH, AB DA SOFORT.")
Berlin, den 24.09.2017 messianisch-
prophetisch, unser Leslie Römermann, in
Avalokiteshvaras Sinne: Laut Wikipedia:
Der Legende nach soll sich der Bodhisatt-
va Avalokiteshvara schon als Prinz
vorgenommen haben, allen Wesen Beis-

tand zu ihrer Befreiung zu leisten. Und er hatte einen Eid geleistet, darin niemals nachzulassen, andernfalls würde er in tausend Stücke zerspringen. So verweilte er im Zwischenzustand (Bardo) zwischen Leben und Tod. Der Legende nach durchstreifte er alle Bereiche lebenden Seins. Ob Götter, Menschen, Tiere oder Dämonen, überall verweilte er und unterstützte die Wesen, sich vom Leiden zu befreien. Als er sich umsah und sein Werk betrachtete, sah er, dass eine Unzahl leidender Wesen nachgeströmt waren. Er zweifelte für einen Moment an der Erfüllung seines Gelübdes und zersprang darob in tausend Teile. Aus allen Himmelsrichtungen sollen Buddhas herbeigeschossen sein, um die Teile aufzusammeln. Dank seiner übernatürlichen Fähigkeiten setzte Buddha Amitabha, der Buddha der unterscheidenden Weisheit, Avalokiteshvara wieder zusammen. Dieses Mal gab er ihm jedoch tausend Arme, in den Handinnenflächen mit jeweils einem Auge versehen, und elf

Köpfe. Dadurch wollte er gewährleisten, dass Avalokiteshvara den Wesen noch effektiver dienen konnte.

30. September 2017 ·

So brachte er in Gegenwart des Buddha Ratnagarbha den Erleuchtungsgeist hervor, das Streben nach Erleuchtung zum Wohle aller Wesen. Der spätere Avalokiteshvara richtete dann das folgende Wunschgebet an den Buddha: „Verleihe mir die Kraft, daß später allein das Aussprechen meines Namens dazu führt, daß das Leiden der Lebewesen besänftigt wird." Dieser Pfad ist eine Art wunscherfüllendes Juwel für die Lebewesen.

Gott Leslie, 30. September 2017 ·
Berlin ·

(zitierter Ausschnitt eines alten, reli-
gionsgeschichtlichen Textes aus dem In-
ternet): Dieser Pfad ist eine Art wunscher-
füllendes Juwel für die Lebewesen.

Buddha Shākyamuni, der vor 2500
Jahren in Indien wirkte, war der vierte
Buddha dieses Zeitalters. Sein Vorgänger
hieß Buddha Ratnagarbha, und zur Zeit
dieses Buddha lebte ein Bodhisattva mit
dem Namen „Derjenige, der niemals die
Augen schließt", der spätere Avalokitesh-
vara. Sein Vater, ein mächtiger König, er-
hielt von Buddha Ratnagarbha die An-
weisung zu bestimmten Meditationen. In-
dem er diese zur Vollkommenheit entwick-
elte, wurde er zu Buddha Amithāba mit

dem reinen Land Sukhāvatī. Amitābha gilt als der geistige Lehrer Avalokiteshvaras. Auch der Königssohn war von edler Gesinnung. Eines Tages ging er zu Buddha Ratnagarbha, um ihm zu sagen, daß ihm das Leiden der Lebewesen sehr bewußt wäre und er bereit sei, eine große Verantwortung für das Wohl aller auf sich zu nehmen. Die Wesen in den niederen Daseinsbereichen wie den Höllen litten akut und sehr stark unter Schmerzen, massiver körperlicher Qual. Die Lebewesen in den höheren Existenzbereichen wie die Menschen und Götter erlebten zwar phasenweise kein so großes Leid, sie trügen jedoch immer noch zahllose Ursachen für zukünftiges Leiden in sich. Da ihm diese Situation sehr deutlich war, empfand er großes Erbarmen mit ihnen und wollte gern die Verantwortung dafür übernehmen, sie aus allen Leiden zu befreien. So brachte er in Gegenwart des Buddha Ratnagarbha den Erleuchtungsgeist hervor, das Streben nach Erleuch-

tung zum Wohle aller Wesen. Der spätere Avalokiteshvara richtete dann das folgende Wunschgebet an den Buddha: „Verleihe mir die Kraft, daß später allein das Aussprechen meines Namens dazu führt, daß das Leiden der Lebewesen besänftigt wird." Der Name steht hier für die Mantras, die im Zusammenhang mit der Avalokiteshvara-Praxis rezitiert werden, wobei das bekannteste das OM MANI PADME HUM ist. Dies ist der sechsilbige Mantra, und es gibt noch längere Mantras, die als Resultat dieser Wunschgebete zustandekamen. Unter allen Mantras sind die von Avalokiteshvara besonders wirkungsvoll.

In den Schriften ist überliefert, daß Avalokiteshvara in seinem Vorleben allein in Indien 37 Mal aufgetreten ist, z.B. als „Derjenige, der bei anderen das Heilsame anwachsen läßt". In dieser Existenz hatte der Bodhisattva schon als Jugendlicher tiefe Einblicke in die Natur des Leidens. Er konnte zeitweilige Annehmlichkeiten völlig zurückstellen und war in seinem Handeln ganz darauf ausgerichtet, für sich selbst und andere langfristiges Glück zu erlangen. Im Alter von 15 Jahren kündigte er an, sich körperlich und geistig in die Abgeschiedenheit zu begeben. Er habe kein Interesse an weltlichem Streben und wolle die Fessel der Begierde überwinden. Seine Einstellung zu den weltlichen Dingen solle so sein wie die Haltung einem längst Verstorbenen gegenüber – frei von Anhaftung. Dann machte er sich auf an einen abgeschiedenen Ort. Unterwegs fragten ihn die Menschen: „Du bist jung. Warum verläßt du deine lieben Eltern?“ Der Junge gab zur Antwort: „Meine einzige Furcht ist, meine Eltern langfristig zu verlieren. Deshalb gehe ich jetzt und verlasse sie kurzfristig. Ich gebe meine Eltern nicht wirklich auf, sondern kümmere mich um etwas, was ihnen langfristig von Nutzen sein kann.“

Als er später allein im Wald lebte, hatte er keinerlei Furcht. Es kam sogar vor, daß er wilden Tieren Teile seines Körpers gab, wenn sie keine Nahrung fanden. Als die Menschen davon hörten und darüber in Erstaunen gerieten, sagte er: „Daß mein Körper überhaupt gewachsen ist und sich entwickelt hat, verdanke ich der Güte anderer Lebewesen. Deshalb ist es in Ordnung, wenn ich diesen Körper benutze, um ihnen diese Güte zu erwidern und etwas für sie zu tun. Dieser Körper wird ohnehin irgendwann zunichte werden, und so ist es am besten, ich benutze ihn jetzt schon zum Wohle der anderen." Der Junge verzichtete jedoch darauf, seinen Körper vollständig wegzugeben – aus Sorge um die Eltern, die seinen Tod nicht ertragen hätten. Aufgrund seines Entschlusses, seinen Körper zum Wohl seiner Eltern beschützen zu wollen, war sein Körper sofort wieder vollständig, wenn er einzelne Teile weggegeben hatte. In dieser Weise sammelte der Bodhisattva über viele Leben hinweg Verdienst und Weisheit – und zwar auf der Basis des Erleuchtungsgeistes, des

Strebens nach Erleuchtung zum Wohle aller Wesen. Als Resultat erlangte er die Buddhaschaft, einen Zustand der Vollendung von Mitgefühl und Weisheit.

Avalokiteshvara ist der Buddha des Mitgefühls, und in ihm verkörpert sich das Erbarmen sämtlicher Buddhas. Die Meditation über Avalokiteshvara ist sehr heilsam. Aufgrund seines großen Erbarmens sind der Segen und Nutzen seines Mantra um so größer, je schlechter die Zeiten und je größer die Leiden sind.

Was bedeutet der Mantra OM MANI PADME HUM?

OM ist zusammengesetzt aus A, U und MA und repräsentiert Körper, Rede und Geist des Buddha, die damit angerufen werden.

MANI symbolisiert den Pfad der Methode. Wenn man den gesamten buddhistischen Pfad einteilt, gibt es den Pfad der Methode und den Pfad der Weisheit, die man zusammen entwickeln muß.

MANI heißt so viel wie Diamant, man kann es sich wie eine Art wunscherfüllendes Juwel vorstellen. Dies repräsentiert den sogenannten weiten Pfad, welcher Tugenden wie Mitgefühl und den Erleuchtungsgeist beinhaltet. Dieser Pfad ist eine Art wunscherfüllendes Juwel für die Lebewesen.

PADME heißt Lotus und steht für den Weisheitsaspekt des Pfades. Dieser besteht hauptsächlich in der Erkenntnis der endgültigen Realität, der Leerheit.

HUM bedeutet, daß etwas ungetrennt ist und weist auf die Vereinigung von MANI und PADME, Weisheit und Methode hin, denn diese beiden sollten niemals getrennt voneinander praktiziert werden.

Gott Leslie hat seinen Steckbrief aktualisiert.
30. September 2017 ·

Balletttänzer in der Jugend, Avalokiteshvara im Alter----allen Wesen Beistand zu ihrer Befreiung.

Gott Leslie hat einen Beitrag geteilt.
24. September 2017 · Berlin ·

1.Fassung: HEUREKA! MEIN
NEUESTES TESTAMENT für dieses ver-
altete, renovierungsbedürftige
Jahrtausend
----allen Wesen Beistand zu ihrer Be-
freiung ---
(Und mit der energischsten Auf-
forderung, an alle zukünftigen Abiturien-
ten dieser Erde, diese, meine Worte -evtl.
mal als Aufgabe- in ihre eigenen Worte zu

*fassen, -fremdbenotungsfern, natürlicher-
weise!)*

LIEBE WELT, liebe LeserIn,

*hier eilt konzeptionelle & verlässlich
gerechte LÖSUNG herbei,
-und dies von einem geistig behinderten Asperger-Autisten-,
zur Wahl & für danach, inform
Gedanken.
"Aufgabe für eine Menschheit in
Schiefflage"
Eine kleine Theoremidee für Jedermensch, JederwählerIn & vor allem Kim
Jong-il und Donald Trump
Das Theorem aller künftigen, höchst-
funktionalen und zugleich natürlich equi-
libralen Welten?
Mein kleines, lieb gewonnenes Theorem als Tagesträumerei im Wunsch ge-*

boren hier und irgendwann gelang`s zu dir, liebe Pia, du, mit deinem Klavier. ;-))) Als Theorem der Perfektion für jedes Individuum und jede Gesellschaft ? Nur wünschenswerter Beginn im Sinn.

Eine Skizze zur Geburt des Heils aller als Wunsch zum kommenden Tage der 15Milliarden Menschen auf Erden - in Bälde, sicher nach meinem Tode und doch sehr bald.

Von Leslie Römermann. (Mir, & hiermit dem Erfinder des zeitgenössischen, modernen, und evtl. irgendwann einmal weltweit gültigen Theorems zur idealen Selbstfindung des Einzelnen und der Gesellschaft)

Keine zerstörerisch machbare Ideologie - nein, eine revolutionär anerkennbare Prophezie, kurz und doch kompakt wie der Urknall, nur auf die Welt bezogen. Dafür die ganze Welt, dieses Mal, wenn es klappt wie ich es sage, zu träumen wage.

Ein perfektes Theorem wünschte ich mir/ihr und ihm, für die beste aller zukün-

ftigen Welten im Diesseits, das zu bilden und vollenden wäre -ohne mich wahrscheinlich, und um den Zeitraum 15Milliarden Menschen auf Erden, wie eine Stunde Null gedacht.

a) durch Gegensätze und jeweils Beispiele dafür in der Geschichte von Individuum und Gesellschaft gleichermassen,

b) zur Weiterentwicklung bis hin zu tolerantestem Individuum in Gesellschaft und tolerantester, also robustester Gesellschaft für jedwedes Individuum

c) hin zur utopischen 100% Erfüllung eines Lebens von Geburt bis Tod in relativem Reichtum von Material und Nicht-materiellem wie z.B.: sicherer Lebensentwicklung in allen Bereichen, motivierend von Geburt bis Tod für jeden in jeder Gesellschaft, weltumspannend, für jede denkbare Welt, besonders aber für die Erde meiner Zeit und schon kurz danach, ab ca.2050 n.Ch.,

d) für kontrolliertes Wachstum jedes einzelnen Wesens (Pflanze, Tier und Mensch) und der Gruppe, gleich welcher Gruppe, alle Gruppen in Harmonie zueinander sich verhaltend, so in etwa wie alle Noten Bachs miteinander harmonieren, nur ohne Dirigenten, ausser dem Theorem selbst,

das Dirigierte (die Welt) dann nämlich wie ein schweizer Uhrwerk, fehlerfrei und höchst perfekt - sich selbst spielend wie ein Orchester,

wenn es sich zur Vollständigkeit durch Allle gemeinsam gebracht haben würde, eines schönen Tages, bevor die Computer den Menschen voll ersetzen und nämlich dann nur noch jedermann und jederroboter zum Wohl jedermanns und aller zusammen beitragen sollten, die Computerwesen humantechnischer Intelligenz (das Wir incl. aller Computer weltweit, gelassen, heiter, harmonisch).

Hoffentlich, beabsichtigter und bezeichnender Weise mit Sicherheit zur besten aller Utopien, so zu sagen, durch das sich selbst erfüllende Theorem, mit dessen Skizze ich gerne gleich hier schon einmal beginnen möchte, um am Ende in 100 Jahren vielleicht das perfekte, kriegsfreie, hungerfreie und harmonische Menschen- zeitalter, oder Weltzeitalter wie z.b.: „AGREEMENT of YEAR SERO- WORLDWIDE" eingeläutet zu wissen, schon jetzt, wie Einstein, der seine Theo- rien nicht bestätigen konnte und es den- noch als Erster erkannte, was nur der Welt für sich selbst zu bestätigen war- Toloranz und starke, resiliente Performanz durch Technologie als Kapital, das zum Krieg oder zum Frieden einsetzbar sein wird.

Ich glaube zu fühlen, ich weiss also schon jetzt, was richtig und was falsch für ein sogenanntes Gelingen Aller zusammen ist, in welchem Wesen und welcher Gruppe, Kultur, Staatenbildung, System von Nord, Süd, Ost oder West, oder Südost, oder, oder... weil ich in meinem kurzen 44jährigen Leben vielleicht wirklich ein-

*fach nur genug erkannt habe,...ich kenne
die bestmögliche Form des Ganzen in
ferner Zukunft nicht in abschliessender
Form als Vision, nein, rege jedoch die Welt
als Ganzes und jeden Leser doch nur im
Einzelnen zur Ergänzung an,
sich selbst zu erfüllen,
für ein gelungenes, gesundes,
krankheitsfreies, unfallarmes, oder besser
- freies Leben, von individuell bis hin zu
global-gesamtgesellschaftlich.
Jeder denkende und fühlende Men-
sch, der dies lese, möge evtl. alle Lebewesen dieses Planeten als Gesellschaft einbeziehend, auch das Wohlergehen einer
Mikrobe am unendlichen Ende des
Gedankens zum Allglück sehen, nur sehen, -ohne Horrorszenario in der Zukunft
und frei von Phatos, sondern als
denkbares, wünschenswertes Ideal einer
Realität, die es zu erreichen gilt- und dann
fortan nur noch mit einbeziehen in sein
Verstehenkönnen.*

Und so würde alles nochmal richtiggestellt und gut.

Jeder Konflikt, der zur atomaren Hysterie heranwachsen könnte - ohne diesen Gedanken an die Mikrobe am unendlichen Ende des Gedankens.

In einer verdammt realen Welt, fern von Nahtod. Fern von Gott.

Selbständig von ihm, und doch in seinem besten Ermöglichen/ ihrem besten Können (die Welt, das dann genesende Hybrid aus menschlicher und künstlicher Intelligenz gut geleitet zum Schutze der Mutter/des Vaters Natur).

..und ein solches Theorem als Fach leicht vereinfacht bereits in der Grundschule zu Lehren, neben, oder statt Philosophie und/oder Religion, oder ergänzend als der Weisheit Schluss, bis zur jeweils im Gremium gefundenen neuesten, zeitgenössischen, neomodernen Ergänzung,

...ebenso wie auf jeder Uni als Studiengebiet

...und in jedem Betrieb, gross wie klein, als Kapital, das Wissen über das Theoramthema: Die Heile Welt zur Zeit 15 Milliarden.

Gross gewachsen, irgendwann, täglich vervollkommnet in gemeinschaftlichem Bestreben und Bemühen, Gremium-süberwacht, gekonnt, professionell, jeder objektiv ergründeten, wissenschaftlich gewachsenen Wahrheit und Weisheit von und für Alt wie Jung Raum gebend, Herkunftsneutral gleichermassen, (aus diesem Urtext quellend immerfort, bis zur Unkenntlichkeit verbessert und ergänzt, L.R.`s/Autors Wunsch, ihn erinnernd, oder auch nicht)

... hauptursächlich um an der Geschichte vom bisherigen Hauptthema der Menschheit, dem "Weltunglück" so gründlich wie möglich zu arbeiten, bevor wir mehr werden, als der Planet sich leisten können sollte, wenn die Ahnung von 15 Milliarden stimmt, dann bei 15 Milliarden Menschen sein werden,

Wunschziel als Definition höchster
Gelungenheit: Dann auch gleich bitte
Incl. wieder intakterer Flora und Fauna,
also
kein Un-thema,
dieses Unbekannte namens Theorem,
um das ich die Welt konzertiert bitte,
eher das meiner Meinung nach
ewiglich und einzig wirklich wichtigste
Thema als Theorem, in unwiderstehlicher,
hochwissenschaftlicher Theoremform,
formvollendet wie die Ansprache der
Fürstin mit "euer Durchlaucht", wie eine
selten gewordene Pflanze, gehegt, nicht
zerkleinert zu Pflänzchen, keine Theo-
riechen, ein echtes Theorem, Welt, da bitt
ich drum:
...sei ich drum dumm, dumm,
dumm..wie unkelum.
Also, worum handelt es sich hier?
„Von Weisheit, Glück und der perfek-
ten Funktion jedweder Realität"
Nur das.

in bestmöglicher Funktion hiermit
überbeschrieben sowohl individuell für je-
den Menschen, als auch gesamtge-
sellschaftlich, global, für das Grosse-
Ganze. Einleuchtend nur, wie z.B.:
Luthers Umwandlung des Begriffs der
Schadenfreude in Gönnen, um sich -im
Schlimmstfall bei eigenem Misserfolg z.B.
als letzter Verlierer in einem Spiel-
mit christlicher Nächstenliebe selbst
trösten zu können, indem man/er/Luther
dann einfach und gelassen jedem Erfol-
greicheren seinen Erfolg gönnen könnte.
Verlieren ist somit sowas von out-
gestrig, per definition. Immerig und schon.
Für jeden sich lesenden, sich verste-
henden Menschen, um sich darin wieder
zu finden, samt seiner Geschichte, Gegen-
wart und wahrscheinlichen,
also wahren Zukunft, nicht der Uner-
füllten, denn dies sei ein anderes Theorem
- gleichwohl durch eigene Ergänzung und
Verbesserung alles in und um wie mit sich

weiterbringend, wenn richtig mit der Wahrheit ringend.

Dies allgemeingültig Konstatieren, Akzeptieren und Weiterentwickeln durch Wunsch und Tat zugrundelegend als Betätigung des Lesers seiner selbst durch faktisches Wissen über die Wahrheit von Geschichte der Vergangenheit, Gegenwart und Zukunft jeweils, mit individuellem Ergänzungsbeitrag zum Theorem weiterentwickelnd, als Weiterentwicklung des Theorems zur Weltsituation (Gestern,heut,Morgen, hier und woanders),

...oder auch ohne Ergänzungsbeitrag zum Theorem, es nicht weiterentwickelnd, aber nur schon verstehend worum es hiermit ginge zumindest sich als Individuum und damit auch gleich ein Stück die Ganzheit der Gesellschaft weltweit auf dem Weg zu den 15 Milliiarden weiterentwickelnd mehr, als wenn ohne dies gelesen zu haben und soweit möglich verstanden, eingeordnet und genutzt zu

haben, um z.B.: kein Rassist, Homopho-
bist, reiner Christ, Buddhist oder anderes -
Ist ausschliesslich mehr sein zu können.
Durch lesen schon allein, oder eben
Beteiligung durch Ergänzung und
Verbesserung, ungefähr wie alles bei
Wikipedia, halt nur als eine von MIR (dem
Autor, L.R.) einmalig in die Welt gesetzte
"Aufgabe für die Menschheit in Schi-
efflage",
die ich erträume als Schulfach zu er-
leben, fächerübergreifend von allem als
Beispiel nehmend, was war, was ist, hier
und woanders und was bei allen sein
müsste, um
z.B.: jede Art der Migration zu stop-
pen, also weite Wege kurz machend.
Beispiel: welcher Steuersatz wäre in
einem Weltstaat (wenn die Welt aus nur
einem Staat bestünde) der Ideale für wen
oder was und wo, oder für alle gleich sog-
ar? = Verringerung der Steuermigration
weltweit? Gar Aufhebung, weil sinnlos-
machend ?

Das Gleiche für Menschenmigration aufgrund von Krieg, Hunger und anderem Elend wie Intoleranz irgendwas gegenüber.

Statt dessen Migration aus Grund der Liebe, z. B.: zwei treffen sich im Chat und dann in der Mitte der Welt auf halbem Weg, um dort zu nisten, für alle Zukunft, ohne Einschränkung für jeden Menschen erstmal nur denk- und später hoffentlich dann mal auch grenzenlos machbar, weil einfach organisierter organisierbar, wenn es sich weltweit in etwa gleichgut leben liesse., statt in der teuren Schweiz am besten bei Angepasstheit und auch am schlechtesten bei Unangepasstheit.

Unterstützend durch eine switch-your-homeland-app, denkbar leicht gemacht, vielleicht, im Jahr 15 Milliarden Menschen auf Erden = Weltstaat im Jahre 0 nach "wir sind jetzt wirklich voll auf der Erde". Ob im Griff bis dahin oder auch noch nicht im Griff bis dahin: Das Glück,

den Tanz, die Welt, was sonst, worüber
theoretisiere ich hier denn?

Also, es folgen Gedankenspiele von
Schwarz und Weiss, Hell und Dunkel, Arm
und Reich, Sozialistisch und Kapitalistisch, Gesellschaftlich leicht gemacht und
gesellschaftlich schwer gemachten
Lebensmöglichkeiten und damit auch
Unmöglichkeiten wo das Ideal nicht im
geringsten erreicht ist, z.B. Homosexuelle
Lebensplanung in Russland für einen erfolgreichen Beitrag zur Gesellschaft und
nicht trotz dessen, leicht oder schwer
gemacht?

Das Schlechteste der Vergangenheit,
im Hinblick auf Entwicklung des menschlichen Lebens, das akzeptable aus der
Gegenwart benennend und das Funktionalste für die Zukunft,
UND/ABER !!!! !!!! !!!! !!!!
ohne Behinderung, Abnormität, Minorität und anderes Wirklichkeitsszenario
dabei weg zu denken, weg zu lassen, zu
verschweigen, aus der Kalkulation zu

nehmen für einen perfekten, magischen Realismus, der per Definition mit allem Realistischen arbeitet, mit dem zu Rechnenden in eine realisierbare Utopie von geführter, orchestrierter Entwicklungsgeschichte geht, die jeden Einzelnen, ob Schwimmer oder Mathematiker oder schwimmenden Mathematiker im Ideal, nicht in der Tragödie fasst und beschreibt, aber auch die Entwicklungsgeschichte der notwendigen Entwicklung der Menschheit aus der heutigen zersplitterten Weltbevölkerung heraus zeigt, um den Weg in eine Kriegs- und Hungerfreie Welt auf zu zeigen, dem heutigen Menschen für Morgen den Weg sicher weisend, aus Berechnungen einzelner Genies für alle zusammengeschrieben und immer wieder wo möglich bestens Ergänzt, von allen Lesern meines Ichs und Ichen im Leser zum Konzert gebracht, nur den Lesern, die sich beteiligen und wenn es einmal alle wären, wäre es

DAS ZIEL DER MENSCHEN, TIERE UND PFLAMZEN: eine best-möglichst geschaffte Gesellschaft, weltumspannend und äusserst spannend., denke ich mir gerade.

Sicher scheint mir: Die dringlichste aller Arbeiten, Theoreme, Fragen der Menschheit: Quo vadis? Wo geht es hin mit uns? Und zwar in der nur gemeinsam denkbar Besten aus der Gegenwart entstehbaren Welt.

Und das wird am Ende nur eine sein können, oder gar keine sein, weil sie nicht diie Beste geworden sein wird, die sie aus heutiger Sicht hätte werden können z.B. mit einem Weltmindestlohn, oder einem Welthöchstverdienst, einem Weltdurchschnittsverdienst, der den Namen verdient, weil der Durchschnitt ihn auch tatsächlich hat und nicht nur weil die Statistik ES zwangsläufig irgendwo im Irrelevanten herauspuckt, ohne Erfüllung im System zu finden.

So ein Theorem schwebt mir schon lange vor, das ich jedoch nicht alleine niederschreiben kann/will und werde, sondern nur anstossend in die Welt setzen möchte, um

a) als der Erfinder des Theorems zur idealen Selbstfindung des Einzelnen und der Gesellschaft zu gelten, DES THEOREMS DER MEN-SCHHEIT , bescheidenheitsfern for-muliert

b) es mühelos hiermit zur Diskussion in allen Bereichen, in allen Sprachen zu bringen,

c) es irgendwann bei evtl. 15 Milliar-den Erdbewohnern funktionierend und er-füllt zu sehen, jetzt schon, aber für jeden Menschen in jedem Alter, als erste Auf-gabe, auch für die gesamte Gesellschaft eines Planeten wie der Erde des Men-schen, denn sie gehört ihm nunmal leider de facto. Also auch die volle Verantwor-tung über alles Drei. Also

„ Das de facto Theorem vom harmonisierten Leben des Individuums im Besonderen und/in/mit der Gesellschaft im Allgemeinen, geboren aus Beispielen, die die Realitäten von Gestern,die Aufgaben von heute und die Chancen von Morgen beispielhaft, spielerisch-philosophisch und Kinderleicht wie Tiefgründig zugleich Belegen sollten, z.B.:

was war faul, was ist auf dem Weg als lobenswert zu bestätigen, was wo noch nicht und was ist wünschenswert für allerorten und alle Zukunft, wo evtl. schon zu erfahren, zu besichtigen, zu erleben, erlebbar gewesen, bestätigt als gut oder schlecht im System des Glücks im Leben des Einzelnen, der Gesamtheit? Wiederbelebung gesunder, verlernter Stärken des Einzelnen, oder der Gemeinschaft? Zählt Hass in Irgendeiner Form dabei als zuträglich und wenn ja wo? Wenn nein, irrt die Bibel, wenn sie gedruckt in sich stehen hat, Alles habe seine Zeit.

*So entsteht vielleicht wie von Zauber-
hand mit der Zeit eine Landkarte des
Lebens, jedes denkbaren Lebens mit allen
Möglichkeiten und Unmöglichkeiten, um
sich als Betrachter des Theorems darin
zurecht zu finden, kinderleicht, damit irgendwann für die ganze Gesellschaft dann
erreicht, wie zum Beispiel eine Währung
für die ganze Welt, logisch, wenn man
damit geboren sein wird, ..eines Tages,
wenn wir uns so entwickeln wie nötig
und nicht so zerbomben wie möglich
auf dem Weg zur gut gefüllten statt
übervölkerten Welt
von 15 Milliarden dann, je nach Stand
zu konstatieren,
sicher einmal, auch wenn ich es nicht
mehr erlebe, so weiss ich heute schon,
wird mein Wunsch nach einem vollständi-
gen und gelungenen, wirkungsvollen,
bekannten Theorem aktuell besprochen
werden, wenn es Sinn machen sollte und
überlebt haben würde, wenn die Menschheit 15 Milliarden zählt, genau an*

diesem Tage dann oder ohne Jubiläumsfeier so la la ungefähr um den Zeitpunkt.
Mein kleines, lieb gewonnenes Theorem,
mal sehn, ob es den Titel zu Recht trägt,
oder nicht verdient hat. ;-))) So wie so:
Leben SIE wohl, allerseits und allerzeits,
Welt-, oder auch Kosmosweit, allein oder
zu zweit, zu dritt, zu viert, ganz gleich wie
dünn oder breit, allzeit zum Leben oder zu
sterben bereit, Hauptsache mit meiner
Erfindung vom
"Theorem aller Zeiten und Orte zum
Planetfrieden im Augenblick 15Milliar-
den"
in Harmonie und nicht im Widerstreit,
denn ha,ha,ha es ist schon da, und auch
für dich nun jederzeit zur unendlichen,
aber sicher nicht beliebigen Vervollständi-
gung und Verbesserung in alle Ewigkeit ,
bereit.
D/M/EIN, unser aller erstrangiges
Theorem, Mensch, los geht`s!
;-))) liebevollst, der L.R. (Autor DER
Theoremidee für Jedermensch), oder wie

er sich nennt und genannt haben wird: "Der neue & letzte Messias, der im Ver-borgenen gelebt haben wird", der die "Neue Zeitrechnung" vorgeschlagen hat, zur "Zeit des vollen Schiffes", das das neue Jahr 0 dann ENDLICH als GENUG gelungen definiert haben wird, um ir-gendwann, irgendwann, dann. Hehehe..NAMASTE ("Guten Tag, meine sehr verehrten Damen und Herren, wir feiern heute weltweit, das letzte leidende Kind auf erden wurde soeben für immer un d ewig glücklich gemacht. DIE NEUE STUNDE NULL HAT SOEBEN BE-GONNEN, 2100 N. CH. WIRD SEIN LEIDEN somit BEENDET sein UND ER (Christus, Jesus) KANN IN RENTE, SO WIE ICH AUCH, AB DA SOFORT.") Berlin, den 24.09.2017 messianisch-prophetisch, unser Leslie Römermann, in Avalokiteshvaras Sinne: Laut Wikipedia: Der Legende nach soll sich der Bodhisatt-va Avalokiteshvara schon als Prinz vorgenommen haben, allen Wesen Beis-

tand zu ihrer Befreiung zu leisten. Und er
hatte einen Eid geleistet, darin niemals
nachzulassen, andernfalls würde er in
tausend Stücke zerspringen. So verweilte
er im Zwischenzustand (Bardo) zwischen
Leben und Tod. Der Legende nach durchstreifte er alle Bereiche lebenden Seins.
Ob Götter, Menschen, Tiere oder Dämonen, überall verweilte er und unterstützte
die Wesen, sich vom Leiden zu befreien.
Als er sich umsah und sein Werk betrachtete, sah er, dass eine Unzahl leidender
Wesen nachgeströmt waren. Er zweifelte
für einen Moment an der Erfüllung seines
Gelübdes und zersprang darob in tausend
Teile. Aus allen Himmelsrichtungen sollen
Buddhas herbeigeschossen sein, um die
Teile aufzusammeln. Dank seiner übernatürlichen Fähigkeiten setzte Buddha
Amitabha, der Buddha der unterscheidenden Weisheit, Avalokiteshvara wieder
zusammen. Dieses Mal gab er ihm jedoch
tausend Arme, in den Handinnenflächen
mit jeweils einem Auge versehen, und elf

Köpfe. Dadurch wollte er gewährleisten, dass Avalokiteshvara den Wesen noch effektiver dienen konnte.

Gott Leslie

.

Geboren am 31. August 1972

*Ende meines dem Urknall nicht
unähnlichen Erscheinens, mit der Geburt,
meine Gedanken zur Bildung des Projektes*

 # Bildung des Paradieses auf Erden

und so weiter..rückwärts lesen
müssend, zur Bildung des Projektes

ONE/ # EINS,

wie es sich auch immer daraus entste-
hbar entwickeln mag. Kein Text für Lese-
muffel. Ich werde ihn auch nicht weiter
redigieren. Das muss schon alles aus dem
schwer zugänglichen Textformat heraus
wachsen.

Ich bin k.o. und o.k. zugleich.

Wenn auch viel zu spät und viel zu
ohnmächtig in der Welt gestellt. Hierin
steckt der Keim für das wahre Leben, wie
es sich entfalten möchte, gesund und
stark, klar und einfach funktional. Atem,
Namaste, Shalom, Inshala, Amen und alle
fehlenden Schlussworte dieser Menschheit
und ihrer Geschichte zurück bis zu den er-

sten Liedern gedenkend voll Demut und Ehrfurcht

und kühn und selbstbewusst voraus bis in die Zeit der ersten interstellaren Informationsaustäusche, in denen der Urfliesstext Leslies hoffentlich zur Befreiung aller als hochfunktionale Grundwertesammlung und Wertemagnetismus entfaltende Kräfte beweisen wird, was dann zugrundeliegend und richtungsweisend wirkte lobend und dankbar an mich erinnernd erwähnt werden wird, zur weiteren Befreiung weiterer Hoch-Zivilisationen im interstellaren Miteinander nach den mir klar zu zu schreibenden Richtwerten wie dem Multilateralen- Polytheismus aus allen vorherigen Systemen integrativ arbeitend und wirkend zu erwachsen dann.

Keine Ahnung wie genau, aber die Richtung und nicht anders. Punktum. Bin doch kein Visionär, oder Architekt. Bin der, der diesen impressarisch hiermit vor-

stand, vorsteht und vorstehen wird, in alle Ewigkeit, mit vorausschauendem Verstand, alles überblickend, nichts im Dateil erkennen könnend, weil nicht nah genug dran, wie z. B. ein Spezialist mit elektronischem Highend-Mikroskop. Nein, eben nicht und doch klar der, auf den die Welt wartete, weil sie gesamthaft schlicht nicht im Stande war, diese Arbeit in einer Person urknallartig der Welt auf zu tischen. Unvorstellbar, jetzt, wo der Anstoss da war. Mir ein Rätsel, grösser als Projekt # ONE / # EINS. Atem, in Ewigkeit, jeder Mensch ein wahr zu nehmender Gott/ eine wahr zu nehmende Göttin, für alle Zeit zu dieser Sicht/ für diesen höchstfunktionalen Wertekatalog bereit. Statt katastrophaler Elitenbildungsverstärkung, um mit um so mehr Vollgas ins Verderben zu steuern, gegen die Wand mit dem Planeten. Bitte, nein. Ende der Diskussion um meine Relevanz, voll und ganz. Ich tanz. Auf und davon und ihr macht das schon.

Epilog

Die Milchstrasse ist im Cosmos vielle-
icht tatsächlich bedeutungslos, redundant,
für das kosmische Ganze entbehrlich.

(Ewigkeitszeichen)

Was wären denn dann wir,?
Frage ich mich

und

denke, es sei dennoch von essenzieller Dringlichkeit, die Gesamtheit aller Wesen (die am Ende der kosmischen Zeit gewesen) mit gutem Humor und Gelassenheit doch ernst zu nehmen, nur sich selbst dabei weniger, um seine/ihre Aufgabe und seinen/Ihren Platz im Leben erfolgreich verteidigen zu können.

In lebendiger Erinnerung an

meine für mich ewig lebendigen Eltern, meinen noch immer lebendigen Freund und den wünschenswert zukünftig der Welt lebendig zur Erinnerung bleibenden Yoej ((Klarname kurz vor Veröffentlichung des Textes als Buch, falls dies jäh in Realität umgesetzt würde)), den ich als ersten fremden Bekannten erfolgreich mit „Namaste" an seiner Türschwelle verabschiedete, weil er als ich ihn mit den Schlussworten „...und denke an deinen Atem." - mit den Schlussworten bedachte - atmend erleichtert, leise und kurz lachte und dann noch erleichterter ein tiefer atmenderes, leuchtendes Lächeln lächelte - mich so zu meinem Glücke beschenkend/ bestätigend, irgendwann einmal reell/ in der Tat von der philosophisch-weltpolitischen Geschichtsschreibung als geglückter Einfluss mit erfolgreichem Lebensende beschrieben zu werden, meinen posthumen Energiewert, e=m mal c im Quadrat/ synonym für Less philosophisch-politischer Geschichtswert = 4km/h(motorlose

Schrittgeschwindigkeit - für minimalsten,
ökologischen Fussabdruck) mal Picasso,
oder Basquiat im Quadrat, - kennend.

Prof. Dr. Jürgen Trimmborn gewidmet, von dem ich den schönsten Liebesbrief erhielt und der mich in seiner Biographie über Lena Riefenstahl dankend in einem Satz mit seinen Eltern erwähnte, weil ich sein Buch redigierte, nachdem kein Verlag es zunächst annehmen wollte.

Ich tat es für ihn, nicht für die koryphäische Ikone des Führers, von dem ich somit leider nur zwei Handschläge entfernt bin.

Zu meiner Ehrenrettung: ich bin keinen Handschlag entfernt von Konstanze Vernon, Werner Humperding, Rudolph Nurejew, Maurice Bejárt, Daniel Barrenboim, Roland Petit, Zizi Jeanmaire, Jorma Uotinen, Jen Han, Jens Weber, Muriel Romero, José de Udaeta, Martin Puttke, Alvaro Restrepo, Gisela Peters-Rose und nicht zuletzt meiner Waganova

Pädagogikprofessorin, der hochgeschürzten Frau Bormann

und vielen, vielen mehr, denen ich allen auch meinen tiefsten Dank aussprechen möchte:

D.A.N.K.E.

Gewidmet: Pina Bausch, dafür, dass ich ihr einmal die Tür offenhalten und ihr einen schönen Abend wünschen durfte, woraufhin sie mich himmlisch-göttlich an- lächelte, bevor sie mich zu ihrem kolumbianischen Tänzer in seine Garder- obe führte. Danke Pina!

Herstellung und Verlag:
BoD- Books on Demand, Norderstedt
ISBN: 978-3-7528-8826-3